J'ÉCRIS AUX HOMMES DE DEMAIN

L'œuvre de Martin Gray

AU NOM DE TOUS LES MIENS
LE LIVRE DE LA VIE
LES FORCES DE LA VIE
LA VIE RENAÎTRA DE LA NUIT
LES PENSÉES DE NOTRE VIE
LE NOUVEAU LIVRE

est publiée
aux Éditions Robert Laffont, Seghers
et dans des collections de poche.
Elle est traduite en dix-huit langues.

Martin Gray
a été couronné par
le prix international
Dag Hammarskjoeld
pour le mérite littéraire.

MARTIN
GRAY

J'écris aux hommes de demain

ÉDITIONS ROBERT LAFFONT
PARIS

ISBN 2-221-01277-1

Je t'écris
aujourd'hui
du bout de ma mémoire.

Sommaire

1
La jeune femme à l'enfant

Ami, je t'écris aujourd'hui du bout du monde Ce pays où je suis ne ressemble à aucun autre. N'imagine ni une île bordée par les vagues longues de l'Océan, ni un sommet entouré de glaciers, ni l'un de ces plateaux que limitent des falaises comme il s'en trouve quelquefois très haut dans le cœur profond des chaînes montagneuses.

Je t'écris d'un pays où ce qui compte ce ne sont ni les arbres, ni la mer, ni les rochers, ni les abîmes.

Ami, je t'écris aujourd'hui du bout de ma mémoire et ce monde c'est ma vie. Les souvenirs y sont comme des planètes ou des étoiles lointaines qui, tout à coup, se rapprochent, me menacent d'une collision à laquelle je ne survivrais pas, puis ces astres s'éloignent et je continue à avancer, me retournant pour les voir clignoter dans l'espace de mon passé.

Mes rêves, mes désirs sont au-dessus de moi

semblables à ces étoiles filantes qui traversent le ciel d'été.

Ami, je t'écris aujourd'hui du bout de mon expérience.

J'appartiens à ce siècle par toutes mes souffrances et toutes mes joies. Regarde ce pays d'où je t'écris.

Au loin, très loin, se perdant dans le brouillard comme une plaine ou un horizon qui s'estompe, je reconnais une enfance heureuse.

Elle me semble une galaxie perdue à des années-lumière et dont je voudrais te parler, que je dois décrire à mes enfants pour qu'ils sachent ce que furent mes origines, ce temps si bref du bonheur quand nous étions tous serrés les uns contre les autres, comme les doigts joints d'une main, ma mère, mon père, mes frères. Puis ce fut ce roulement sourd sur la terre et dans le ciel, le début du chaos, quand notre univers s'est fendu, a fondu dans le feu de la guerre, qu'on a taillé dans mon enfance à coups de serpe, qu'on a arraché de moi, comme des doigts, et ma main et mon cœur resteront à jamais mutilés, ma mère, mes frères, mon père et tous les miens perdus.

Et je suis resté seul comme un moignon, comme une étoile éteinte où ne brillaient que le feu du souvenir et le foyer central de la volonté de vivre, de se venger et de témoigner. Regarde, il y avait la plaine au loin, très loin, puis cette boule de feu, et moi seul, glacé. C'était mon pays et c'est aussi de là que je t'écris. Mais j'ai rencontré un soleil : peu à peu j'ai retrouvé la vie. Nous étions à nouveau une famille, un univers dans le ciel tranquille. J'avais femme, enfants, ma terre, ma chair, mon océan.

Il faut que j'ose me souvenir, te rappeler qu'une autre fois ce monde a explosé, que le feu d'un chaos, une sourde guerre l'a dévoré et que j'ai été une deuxième fois comme une étoile morte, plus déserte encore.

Où ai-je pris la force de continuer ? D'où m'est venue cette énergie qui m'a fait me redresser, jeter au loin ce fusil avec lequel je voulais faire éclater ma tête quand j'appris que j'étais le seul survivant ?

Cette énergie tu me l'as donnée, ami. J'ai lancé vers les autres ces mots qui s'arrachaient comme les météorites qui se détachent d'une planète perdue. Et toi, ami, tu as répondu, tu m'as communiqué ton amitié, ton attente, et entre nous, toi et moi, se sont tendus les rayons de la confiance.

Je suis entré dans un nouvel univers. Je n'ai rien oublié des anciens espaces, la plaine heureuse de l'enfance et le chaos guerrier, le monde équilibré de ma première famille et le feu qui l'a détruite. Mais j'ai trouvé de nouvelles constellations. Je suis resté fidèle, semblable à moi-même, mais j'ai à nouveau autour de moi des enfants et une femme, les miens.

C'est de là que je t'écris, ami. Un bout du monde, l'extrémité de mon expérience. Je t'écris comme si j'étais au bord d'une frontière, je me retourne et je vois mon passé. Autour de moi le monde présent, ses plaies, ses joies. Toi, ami, je veux que tu appartiennes au monde de demain, celui dans lequel vivront mes enfants.

C'est pour cela que je t'écris aujourd'hui.

Lis, écoute, je parle de ces pays que j'ai traversés, de ces planètes lointaines que sont mes souvenirs.

Je parle de notre monde présent et de celui qui devrait être.

J'écris ces lettres pour mes enfants.

J'écris aux Hommes de demain.

Que serez-vous, vous que je n'accompagnerai qu'un temps ? Car toute vie a son terme et il faudra qu'un jour tombe le rideau, que s'interrompe ma trace, que je laisse à d'autres, vous, les Hommes de demain, mes enfants, le soin de continuer la route. C'est la loi. Je ne m'insurge pas contre elle. Et si l'angoisse parfois me serre aussi le cœur ce n'est pas de ma disparition que je m'inquiète. Je prendrai ma place dans le grand corps vivant des hommes morts, je serai l'un de ceux qui, devenus ombres, ont gravé dans la pierre ou dans la mémoire de quelques-uns un signe, un mot qu'on n'oubliera pas et qu'ils ont écrit, je serai l'un de ceux-là, dont on se souvient, parce que j'ai été sans honte et sans grimace ce que j'étais vraiment quand je vivais.

Mais vous, que serez-vous ?

Je ne sais même pas si nous allons vous léguer le monde. Et c'est pour vous que j'ai peur, mes amis, mes enfants, Hommes et femmes de demain.

Vous devinez mon incertitude et les questions que je me pose.

Il y a quelques jours, à la sortie de l'une de ces conférences que je donne quelquefois quand des amis m'y convient, parce que je crois nécessaire de porter témoignage, de faire partager ce que je pense et ce que je sens, une jeune femme s'est approchée. Je n'ai pas d'abord vu l'enfant qu'elle portait, serré contre elle, tenu par un harnais entre ses seins. Elle semblait le cacher sous une cape de daim brun. Elle était belle, non pas de ces visages qui retiennent l'attention parce que leurs traits sont remarquables ou rares, mais par une lumière du regard, une émotion un peu inquiète qui venait de la manière dont elle battait des paupières, ou dont elle me fixait. Elle m'interpella.

— Je dois, dit-elle, je dois vous parler, il le faut, pour lui.

Elle écarta sa cape et je vis cet enfant qui dormait. Il pouvait avoir trois ou quatre mois. Il laissait aller sa tête contre la poitrine de sa mère ; ses cheveux blonds, brillant comme ceux de la jeune femme, n'étaient qu'un long duvet soyeux.

Je ne pus résister. La tête d'un enfant est un appel à la tendresse. Je la caressai du bout des doigts.

— Il est beau, dit-elle.

Elle se penchait, l'enveloppait de ses bras, de ses seins, semblait le protéger avec ses longues mèches qui tombaient de part et d'autre de l'enfant.

— Je veux qu'il vive, ajouta-t-elle d'une voix grave.

Je ris.

Elle avait aussi la beauté que donnent la santé et la vigueur de la jeunesse. Je n'avais eu qu'à toucher l'enfant pour sentir cette chaleur de la vie, cette forte fragilité des premières semaines. J'avais reconnu sous mes doigts la sève qui ne se tarirait pas. Je ris. Je dis avec cette assurance un peu folle que donne parfois la joie, et j'étais heureux de voir la beauté de la vie s'exprimer dans cette jeune maternité :

— Il est la vie, votre enfant.

J'avais envie d'embrasser la mère et le fils. Il faisait froid, l'une de ces nuits claires qui donne de la gaieté car tout est limpide. Les gens continuaient de sortir de la salle de la conférence et s'arrêtaient pour me serrer la main, me demander de signer un livre. Je fus un moment distrait. Quand je cherchai la jeune femme et l'enfant, ils avaient disparu. Je fus poussé par un instinct que je ne raisonnai pas qu'il fallait que je la retrouve, vite. Je devinais que c'était important. J'ai souvent l'intuition des choses.

Autour de la salle, les rues étaient désertes. Les

dernières voitures s'éloignaient. L'une d'elles s'arrêta. Je crus qu'il s'agissait de la jeune femme à l'enfant, mais ce n'était qu'un couple qui me proposait de me raccompagner jusqu'à mon hôtel, au centre ville. Je refusai, préoccupé. Des images trop lourdes, trop noires m'enveloppaient à nouveau, comme si derrière la jeune femme je voyais le long cortège de ces mères que j'avais vu entrer, leur nouveau-né serré contre elles, entre leurs seins, dans ces lieux de mort, où des hommes — pourquoi les nommer aujourd'hui ? — répandaient des gaz afin qu'elles meurent. Et parfois quand nous ouvrions les portes de ces chambres d'assassinat des enfants vivaient encore.

Hommes de demain, ne l'oubliez jamais, nous étions, nous les frères, les fils, les maris de ces femmes, nous les pères de ces enfants contraints de tuer de nos mains ces enfants, notre descendance.

Voilà le monde d'où je viens, voilà le monde où nous avons vécu, sachez-le, ce fut un temps de préhistoire et de barbarie. Et dans ces rues que le vent balayait j'entendais ces cris d'horreur, ma tête envahie de souvenirs, l'univers infernal d'hier revenu.

Tout à coup je l'ai vue, elle, la jeune femme à l'enfant. Elle allait, un peu penchée au bout de l'une de ces rues qui montent vers les montagnes qui entourent cette ville. De loin, ainsi, je la reconnus, même si elle me paraissait plus petite, comme recroquevillée, les épaules serrées autour de son enfant pour le protéger. Je l'appelai ne sachant comment la nommer, me contentant de crier, mais elle parut marcher plus vite, ne se retournant même pas, inquiète, semblait-il, de l'homme qui dans la nuit l'interpellait. Je me mis à courir et elle s'immobilisa alors me faisant face quand je la rejoignis. Elle savait qui voulait la rejoindre. Elle n'était pas surprise mais elle ne paraissait pas heureuse de me revoir, le visage tendu que je trouvais plus maigre. Mais allez savoir ? Je venais de traverser ma mémoire, de revivre ces scènes d'horreur, et peut-être mon regard était-il encore déformé par le souvenir. Elle tenait son enfant caché. Elle se redressa.

— Et si on me le tue, dit-elle, si les hommes une nouvelle fois deviennent fous, ou s'ils se trompent ?

Elle s'était approchée de moi. Elle m'accablait de ses yeux brusquement lourds d'angoisse et de questions.

— Je sais que vous les avez vus devenir enragés. Vous écrivez qu'ils étaient des animaux à visages d'hommes.

Elle parlait d'une voix sourde et exaltée, cachant toujours l'enfant sous sa cape de daim.

— Qui peut me dire, reprenait-elle, je sens que les hommes sont encore capables de cela, devenir fous, vous…

Elle montrait les sommets qui dominaient la

ville, et au-delà les hauts plateaux où étaient enfouis dans des silos, je ne l'ignorais pas, ces fusées longues comme de gigantesques doigts d'acier, leurs ongles acérés, prêts à frapper à l'autre extrémité du monde une jeune femme à l'enfant. Et elle, ici dans cette ville du pied des montagnes, elle se sentait écrasée sous la menace que delà des océans ou de l'intérieur d'un continent faisaient peser sur elle d'autres fusées semblables.

— Et s'ils se trompent un jour, répéta-t-elle. Parfois, je le regarde... Elle écartait les bords de sa cape, elle me montrait l'enfant endormi qui n'avait pas bougé, et j'imaginai qu'un sourire éclairait son visage enfoui dans la chaleur maternelle.

Comment pourrez-vous croire, vous qui viendrez après nous dans un monde que j'espère juste et en paix et pourquoi écrirais-je et pourquoi vivrais-je si je pensais certain ce cauchemar d'un avenir de mort, comment pourrez-vous admettre que des mères quelquefois, en notre temps, regrettaient d'avoir donné la vie à leurs enfants tant le monde dans lequel elles vivaient leur paraissait menaçant ?

Comment pourrez-vous croire que trente mille enfants mouraient chaque jour de faim dans notre monde, alors que s'entassaient, dans les silos bétonnés de la guerre, des fusées qui dévoraient notre richesse ?

Comment, quand vous lirez cela, vous, hommes de demain, pourrez-vous comprendre que nous avons accepté, passivement presque toujours, cette foule d'enfants affamés qui se pressaient à nos portes ?

Ce n'était pas tout cela que m'expliquait la jeune femme à l'enfant. Mais dans ses hésitations à parler je devinais une inquiétude qu'elle n'osait même pas exprimer tant elle sentait qu'il était anormal et scandaleux qu'elle craigne à ce point pour son fils, et pourtant la peur était à ses trousses comme une bête mauvaise et enragée.

— Je le regarde et je me demande, reprenait-elle.

J'ai mis ma main sur sa bouche. Je lui ai dit : « Ne parle pas. » L'enfant s'est réveillé se mettant à crier, comme s'il avait cru que le mouvement un peu brusque que j'avais fait était une menace pour sa mère.

— Si jamais il devait..., reprit-elle en le berçant.

Elle reculait d'un pas, elle n'osait toujours pas prononcer les mots qui lui serraient la gorge.

— Si jamais il devait... Je ne lui survivrai pas.

Qui peut vraiment survivre à la mort d'un enfant ?

Je sais. Toi qui me lis, tu n'ignores pas qu'on m'a coupé en quatre le cœur quand j'ai perdu dans les flammes de l'incendie mes enfants et leur mère. Tu te dis peut-être, parce que je vis à nouveau et que d'autres enfants me sont nés, que j'ai été repris par le grand fleuve, et je nage et le courant me porte et l'amour me guide et l'espoir me vivifie, tu te dis, homme de demain : il a survécu. Et pourquoi prétend-il, cet homme-là, que la mort d'un enfant fait mourir ?

Ne pense pas si vite, toi qui juges. Ne te fie pas seulement aux apparences. Écoute les mots nus : « Qui peut vraiment survivre à la mort d'un enfant ? »

Peut-être à l'avenir — qui peut dire ? — saura-t-on empêcher les enfants de mourir ?

Au moins je veux rêver et croire qu'on ne verra plus ces silhouettes faméliques, ces enfants sans chair dont les regards sont comme le feu et dont les os déchirent la peau, là de part et d'autre de la poitrine, et leurs coudes et leurs genoux semblent déjà avoir percé le corps.

Je veux penser que toi qui viendras après moi, tu ne comprendras pas que nous ayons pu vivre en même temps que les millions d'enfants de la détresse.

Tu diras de nous : ils étaient des barbares ces hommes-là. Tu apprendras que nous avions ici, dans beaucoup de nos villes opulentes, des surplus que nous gaspillions. Tu découvriras que nous jetions, détruisions, construisions pour détruire. Tu t'indigneras, je l'espère, tu seras davantage homme que nous l'étions.

— L'avenir, l'avenir...

La jeune femme haussait les épaules. Elle refermait la cape sur son fils, elle recommençait à marcher vers la montagne. J'avançai près d'elle et je mis mon bras autour d'elle, j'essayai de la convaincre que demain, son fils... Mais elle m'interrompit, se dégagea.

— Et si on me le tue avant, s'ils se trompent avec leurs fusées, s'ils continuent à se menacer les uns les autres, à...

Elle écartait les bras, elle désignait le ciel, elle semblait m'indiquer la trajectoire des missiles qui allaient venir, les routes de la mort que les projets de guerre traçaient déjà entre les étoiles.

— Vous me parlez de l'avenir, parce que vous ne pouvez opposer que des rêves à mes angoisses, à ce qui se passe ici.

Elle s'arrêtait, elle frappait du talon sur la terre. Elle m'avait écouté, reprenait-elle. Je n'étais qu'une sorte de prédicateur parmi d'autres. Un homme de bonne foi qui n'avait aucune solution immédiate, et nous étions nous les bavards, nous les diseurs d'avenir tous dépassés par les faiseurs de mort, les chefs de guerre et de pouvoir. Les fabricants, les marchands de violence, tous ceux qui modelaient le monde. Et qu'étions-nous avec nos pauvres mots d'espoir jetés contre le vent ?

— Vous me faites rire, dit-elle avec amertume. Nous sommes seuls, chacun, avec notre peur et j'ai mon fils contre moi, que je dois protéger et que puis-je faire, dites-moi ?

Elle entourait de ses deux bras son enfant que je voyais bouger sous la cape. Elle élevait le ton :

— Vous nous fermez les yeux avec vos illusions, lança-t-elle encore.

Elle fit un pas, un autre sans que j'ose la suivre à nouveau.

— Combien en avez-vous sauvé vraiment de ces enfants dont vous me parlez ?

Il faisait froid, je l'ai dit, et la nuit était claire, tranchante, donnant à chaque chose un bord vif et aux mots une violence glacée.

D'assez loin, maintenant, dans la rue vide et blanche, la jeune femme à l'enfant me cria :

— Vous n'avez même pas su protéger les vôtres, d'enfants ! Que voulez-vous qu'on espère ? Vous êtes sans moyen, comme moi, mais vous parlez, mais vous écrivez, et qu'est-ce que cela change ce que l'on dit ? Est-ce que vous les avez sauvés vos quatre enfants ?

Elle s'était arrêtée, me défiant par toute son attitude, et quand elle repartit, je la laissai s'éloigner.

Je me suis assis sur le bord du trottoir. Je sais que j'ai relevé le col fourré de ma veste J'avais froid.

Elle avait frappé juste, au point le plus douloureux, là où je ne pouvais opposer aucune défense. Elle avait parlé comme il m'arrivait de me parler à moi-même, accusateur tourné contre moi. Elle rendait brûlante cette question que je porte, que j'essaie de repousser, mais avec laquelle il me faut vivre : « Pourquoi ? » Et j'ai écrit tant de livres pour essayer de répondre, pour tenter de survivre et me donner la force de reprendre le chemin. J'étais allé vers les autres et ceux-là que j'aidai m'avaient tendu la main.

Mais, elle, la jeune femme à l'enfant, si exigeante et si amère, si dure et si vraie, elle me rejetait.

Il suffit parfois de si peu de chose, d'un mot, d'un regard qui se dérobe, d'une main qui se refuse pour vous désespérer. Assis dans cette rue que le vent balayait, je me suis enfoncé dans ma peine et je suis resté là, en oubliant le temps, étouffé par les souvenirs, projeté dans les mondes de mon passé où la mort avait été ma compagne. Si j'avais pu, à cet instant, me dissoudre, ne plus être qu'une pierre sur la Terre, je l'aurais voulu. Mais j'étais là, vivant, traversé par la douleur. Brusquement j'ai senti une présence. J'ai relevé la tête. Elle était devant moi, la jeune femme, sa cape ouverte, les bras tendus, l'enfant entre ses mains. Elle souriait, timide.

— Je ne voulais pas vous blesser, murmurait-elle, mais quand on est inquiet, souvent on est dur avec soi et on veut faire mal aux autres.

Elle s'interrompait, elle se penchait sur le visage de son fils qui m'observait de ses yeux noirs.

— Il vous regarde, dit-elle, on dirait qu'il vous reconnaît.

Je me levai.

— Prenez-le un moment, disait-elle encore, prenez-le, il le veut.

Il me semblait que l'enfant aussi me tendait les bras.

Hommes de demain, et vous mes enfants qui serez dans l'avenir mes témoins, comprendrez-vous pourquoi nous étions à ce point contradictoires ? Capables de haïr et de frapper et désirant aimer, donner ; pourtant et défendant la vie et accumulant les moyens de tuer et poussés, quelquefois, à nous tuer nous-mêmes, tant nous étions déchirés entre le meilleur et le pire, entre l'espoir et la désespérance.

Je ne sais comment la vie vous aura fait. Je voudrais que la flamme en vous de la tendresse et de la générosité ait tout embrasé, que vous soyez, hommes, comme un seul cœur, réunis dans la même volonté d'organiser le monde pour que l'existence de tous y soit claire autant que faire se peut.

Hier, et depuis que l'homme chemine, que de douleurs, de confusions et de violences, que de hargne et de rage entre nous. Que je voudrais que cette histoire inhumaine vous la regardiez, de là où vous serez, comme le temps d'un univers fou, quand la part la meilleure de nous était étouffée ou pervertie, si fragile qu'elle se brisait ou se déformait au moindre choc. Mais je me souviens, et il faut que j'en reparle, que même chez ces animaux à visage d'homme qu'étaient nos bourreaux, la semence de l'homme était présente. L'un d'eux, peut-être le plus noir, qui frappait à coups redoublés de trique sur la nuque et le visage des déportés, qui hurlait pour que les femmes et les enfants se dénudent avant d'entrer dans ces chambres d'assassinat où le gaz les asphyxierait, ce bourreau-là, une bête sauvage, voilà que je le vis un jour courbé sur son chien. Ce fauve nous déchirait comme un loup féroce qui se jetait sur nous pour nous égorger, et le maître et la bête formaient un couple maléfique que nous craignions tous car il laissait sur son passage une trace de sang. Et j'aperçus notre bourreau qui s'agenouillait devant ce chien, je le vis qui le caressait, je devinai qu'il lui parlait d'une voix humaine, douce et tendre, et l'animal geignait, offrait son flanc sans défense à la caresse du maître.

J'étais presque un enfant alors. Je n'imaginais pas encore que même dans l'épaisseur rigide d'un bourreau peut exister ce grain d'humanité. Je croyais seulement que l'amour ne se rencontrait que parmi les miens, ceux de ma famille, ceux qui étaient victimes comme moi des persécutions. Il me semblait que le monde était partagé par une frontière : d'un côté le bien, de l'autre le mal. Et je rangeais les hommes dans l'un ou l'autre camp. Je n'avais pas compris — ô que je voudrais, Hommes de demain que vous ayez cette lucidité et cette sagesse — que la frontière passe en chaque homme, en chacun de nous, qu'il n'est pas de bourreau qui ne demeure un homme, fût-ce un instant, fût-ce pour son chien, et qu'il n'est pas d'homme qui ne soit capable, fût-ce le bref moment d'une pensée, de haine.

Au moins était-ce ainsi au temps où je vivais.

Je me souviens aujourd'hui de ce tueur qui parlait à son loup avec des accents de tendresse.

Je sais que parmi les chefs de camp de la mort il y en eut qui aimaient à cultiver les fleurs et qui étaient des pères exemplaires pour leurs enfants. Et les mêmes hommes ont assassiné des milliers, des millions d'entre nous.

J'ai compris maintenant que l'homme est une créature à nulle autre pareille et qu'il dépend de lui, de nous que la source humaine en lui se tarisse et bouillonne à grands flots d'eau pure.

Hommes de demain, je rêve que vous aurez en vous cette source puissante et calme, ce grand courant de vie qu'est la bonté, et que vous serez, mes frères et mes fils d'avenir, uniquement l'humain de l'homme.

Et si je vous écris et si je vous raconte cette histoire d'avant vous, notre monde d'hier et d'ici, c'est pour vous montrer ce que fut le germe, en nous, de votre vie.

Ces pensées-là, elles me venaient alors que je prenais dans mes bras l'enfant de la jeune femme et qu'il s'appuyait à ma poitrine, si frêle, si démuni, si dépendant que j'en étais bouleversé.

— Je sais que je vous ai fait mal, murmurait la jeune femme.

Elle avait abaissé sur ses sourcils le capuchon de sa cape et je ne voyais plus son visage comme si elle avait eu honte de me montrer ses traits après les mots qu'elle m'avait lancés avec violence. De temps à autre, pourtant, elle m'observait et surveillait son fils qui jouait avec le col de ma veste et ronronnait comme un chat.

Comment pouvais-je lui en vouloir ? Quand des inquiétudes et l'angoisse vous griffent telles des ronces, on reproche à l'autre de ne pas être capable de vous protéger. On tourne ce qui vous fait mal contre lui car l'agressivité n'est jamais qu'une manière de tenter de se libérer de ce qui oppresse. Et puis elle avait dit vrai, la jeune femme à l'enfant. J'avais tout tenté pour les sauver mes quatre enfants et ma femme, et je n'y étais pas parvenu, comme si le mur épais du destin s'était dressé devant moi, j'avais heurté ma tête contre cette muraille et j'en porte encore la blessure au front.

Je me mis donc à parler, expliquant à la jeune femme ce que j'avais vécu, combien je comprenais qu'elle se soucie de l'avenir de son fils et que la peur parfois lui serre la gorge. Mais ne sentait-elle pas, plus forte que tout, la joie de la vie ? Peut-être était-ce parce que son fils s'accrochait à moi, que sa main se serrait autour de mon doigt, que je l'entendais commencer à rire, mais les pensées lourdes et sombres venues d'hier se dissipaient.

Quelle était la leçon de l'enfance, sinon que la générosité l'emporte en l'homme, malgré tout !

Elle secouait sa tête, la jeune femme, elle refusait avec douceur de me croire, elle imaginait que je lui racontais une fable pour effacer ses inquiétudes. Mais je n'inventais rien.

— Que peut-il, lui seul ? demandai-je.

J'élevai l'enfant à bout de bras. Il ne vivait que par l'amour.

Le petit d'homme, il lui fallait des années, au moins une dizaine, pour devenir autonome. Il fallait le couvrir, le protéger, le nourrir. Seul il mourrait après quelques heures.

Dans toutes les autres espèces il suffit de peu de temps pour que l'animal ou l'insecte marche, vole et se nourrisse, se défende et s'éloigne des siens, à ses risques et périls. L'amour de la mère, la protection du père n'étendent sur lui leur bouclier qu'un instant. A toi de te défendre, toi à qui j'ai donné la vie, semble dire la mère. Et la loi implacable du fort et du faible joue, impitoyable.

Mais le petit d'homme, la bonté et l'amour doivent le soutenir. Sinon, que deviendrait-il, lui qui ne marche qu'après plusieurs mois ? Lui dont les dents sont lentes à pousser, lui qui doit apprendre à semer et à récolter, lui qui ne vit que grâce à la transmission du savoir, au lent apprentissage de ce que les générations précédentes, millénaire après millénaire, ont acquis.

Or, nous sommes là, nous l'espèce humaine,

menacée, folle en ce temps où j'écris, capable de déchaîner l'apocalypse, mais nous vivons. Nous n'étions que quelques centaines de milliers, et nous voici milliards d'hommes sur notre planète. Nous avons massacré, nous sommes violents, déchirés, haineux, aveugles devant la misère des autres et leurs souffrances que souvent nous nous provoquons, mais nous sommes devenus des milliards. Et cela signifie que dans la balance du bien et du mal, même en chacun de nous, même dans le plus sauvage, je le dis, je le crois, la part claire de l'homme l'a emporté, sinon nous aurions laissé les enfants mourir. Ou bien nous les aurions dévorés.

Et cela s'est fait, je le sais. Et nous acceptons que des millions d'enfants meurent chaque année, comme si, pour être plus à l'aise dans nos vies, nous payions de leur mort notre abondance.

— Vous voyez, me dit la jeune femme à l'enfant, vous le reconnaissez, vous...

Je lui rendis son enfant.

— Il est beau, neuf comme une jeune pousse.

Puis je continuai de marcher près d'elle, de lui parler, d'admettre cette cruauté toujours présente autour de nous. Oui, nous dévorions les enfants. Chair pour chair. Nous nous nourrissions de viande de bétail. Mais pour que ces animaux engraissent nous utilisions des pâturages, des céréales. Nous consommions une « calorie » dont le coût était élevé alors que nous aurions pu nous nourrir d'une autre manière et laisser les campagnes en culture, faire en sorte que dans d'autres continents, on ne souffre pas de la faim parce que notre alimentation était à base de viande.

Et donc, il fallait l'avouer clairement, nous troquions la chair des enfants contre cette chair que nous achetions à l'étal des boucheries de nos pays riches. Cela, il fallait le dire.

Et pourtant, notre espèce humaine se déployait comme une étoffe toujours plus épaisse : des milliards d'hommes, malgré tout. Donc la bonté et la vie l'avaient emporté.

— Et demain, me dit la jeune femme en refermant la cape sur son enfant. Et demain, qu'en savez-vous ? C'est comme si nous allions de plus en plus vite, nous sommes une voiture folle lancée vers une falaise, voilà ce que je sens, moi, voilà pourquoi j'ai peur pour lui.

Je rapporte ici ses propos pour que vous sachiez, vous qui viendrez, que nous étions nombreux pareils à cette jeune femme à l'enfant, à savoir l'enjeu du moment, le pari de notre monde.

Je vous écris, Hommes de demain, pour témoigner de cela.

Mais j'entends déjà votre réquisitoire. Je vous devine regardant les images que nous aurons laissées. Vous verrez ces villes en ruine, ces champignons de mort que nous avons fait naître dans le ciel, ces armes dressées vers le soleil, ces champs jonchés de corps. Vous assisterez à nos procès : le fils dénonçant le père. Et les exécuteurs viendront. Vous essaierez de comprendre pourquoi des peuples entiers ont suivi des monstres qui gesticulaient et appelaient au meurtre. Vous longerez ces barbelés qui enfermaient des millions de femmes et d'enfants, de déportés. Vous suivrez la fumée qui s'échappait de pièces carrées où l'on brûlait ceux qu'on avait asphyxiés. Et vous découvrirez les enfants au visage de vieux et les vieux abandonnés, ces quartiers où l'on avait peur de sortir de chez soi, ces immondices dans les rues, vous hurlerez peut-être de colère, contre nous, vous direz : « Que faisaient-ils les gens de ce temps-là pour accepter, puisqu'ils savaient, prétendent-ils, ou bien qu'ils avaient les moyens de savoir ? »

Et vous aurez raison.

Car nous savions. Nous pouvions à chaque fois qu'un cataclysme menaçait en percevoir l'annonce. L'ouragan ne vient pas d'un seul coup. Avant le cyclone le vent met du temps à se lever. Mais qui observe ces nuages encore blancs qui signalent à peine l'horizon, mais qui écoute celui qui les désigne du doigt et annonce les pluies et les bourrasques ?

J'ai été l'un de ces aveugles et l'un de ces sourds. Moins que d'autres il est vrai, mais qu'ai-je pu ? Sauver ma vie et témoigner. Donner un peu de force, de courage et d'espoir aux lecteurs de mes livres. Mais comme me l'avait dit la jeune femme à l'enfant, j'avais été incapable de protéger mes enfants et leur mère. Cela me tue chaque jour d'une mort dont je dois renaître, car j'ai des enfants à nouveau, une femme et la vie à mener.

Mais vous êtes en droit, vous qui viendrez, de ne pas écouter nos excuses et nos plaintes. Vous êtes nos enfants et vous devrez porter sur nous un jugement sans complaisance. Le monde dont vous hériterez c'est nous qui l'aurons fait. S'il n'est que ruine, étoile morte, nous en serons devant vous comptables. Car nous savions, je le répète. Moi-même je savais que le feu un jour pouvait venir entourer ma maison. Je croyais être assez fort, assez malin, assez chanceux pour éviter la catastrophe. J'avais oublié cette loi de toutes les guerres et de la vie que j'avais payée au plus haut prix : tout est toujours possible et tout peut arriver à l'homme, le pire et le meilleur.

Alors, diront-ils, les Hommes de demain, pourquoi nous écrire ? Pourquoi nous parles-tu, interpelleront mes enfants. Et la jeune femme dans la rue, cette nuit-là, répétait d'une voix sans colère : « Vous parlez, vous écrivez, à quoi cela sert-il ? Laissez faire les choses. Nous savons mais nous ne pouvons rien. Les jours nous emportent comme un fleuve. Pourquoi crier, lever les bras, guetter la rive, acceptons le sort des feuilles qui vont jusqu'à la mer. Et là est notre mort. »

Mais j'ai en moi le refus de la soumission. Qui m'a fait croire à la puissance et à la vertu de la révolte ? Je me sens responsable devant vous que j'ai lancés dans ce monde en vous donnant la vie.

Je dois vous dire et vous montrer les fausses routes.

On a dit, peut-être Confucius, que l'expérience est une lanterne que l'on porte accrochée dans son dos et qui n'éclaire que le chemin parcouru et jamais la route à venir.

Je m'insurge contre ce fatalisme, j'écris.

Je prends la jeune femme à l'enfant par les épaules, je lui dit : « Vous et moi disons à cet homme de demain, votre fils, et mes enfants seront avec lui dans ce futur où nous ne vivrons plus, expliquons-leur combien nous fûmes barbares et fous, combien nous nous trompâmes. Ne laissons pas tomber le relais de notre connaissance, dénonçons-nous, pour qu'ils sachent et évitent nos fautes. »

Je ne crois pas que les mots soient vains quand ils sont écrits avec le sang de l'expérience et la sève de l'amour.

2

Les hommes du premier monde

Et d'abord nous étions cruels, sachez-le, vous qui viendrez. Peut-être ne saurez-vous plus ce que signifie le verbe tuer, peut-être vivrez-vous dans un monde où le sang ne coulera que par accident, où seuls les chirurgiens porteront la main sur le corps d'autres hommes et leurs armes ne seront que celles de la médecine. Ils n'utiliseront les lames que pour sauver et guérir.

Peut-être vivrez-vous dans un temps où l'on saura reconnaître que la vie sous toutes ses formes est un miracle qu'il faut protéger.

Peut-être.

Comme je le voudrais pour vous, comme je l'espère, et j'ai écrit pour que cela soit. Mais, souvenez-vous-en, nous avons grandi dans la violence et nous avons laissé nos enfants regarder le spectacle et y participer.

Pour moi ce fut la guerre, pour eux ce sont les images du meurtre et de la domination. Voici que surgissent sur les écrans les monstres, les étrangleurs, les géants à visage effrayant.

Pourquoi la guerre ne viendrait-elle pas quand nous offrons à nos enfants cette mise en scène de la cruauté et ces jeux de mort ?

Partout, nous avons laissé le cancer se répandre.

Je me souviens de ces faits divers que, peut-être, dans les temps à venir, vous consulterez. Sur le quai d'un métro un homme sans raison en pousse un autre au moment où la rame s'avance. Un assassinat pour rien, pour exprimer le mal de vivre qu'on porte en soi et dire sa haine de tout ce qui vit.

Oui, nous étions ainsi, nous tous.

Qu'on ne me dise pas que seuls quelques-uns parmi nous étions englués dans cette boue de la cruauté.

Je connaissais un homme, Pierre-Joseph, l'un de ces vieux paysans vêtus de velours, allant lentement sur les chemins de terre, les mains nouées derrière le dos, penché comme s'il poussait une charrue. Il aimait les arbres et les fleurs. Il savait deviner à un simple nuage au bout de l'horizon les changements de temps. Il racontait à mes enfants des fables qu'il disait vraies, que les sangliers comme des rochers bruns traversaient la mer d'une montagne à l'autre, de l'île jusqu'aux massifs rouges du continent et qu'ils nageaient ainsi durant deux jours entiers quand le feu les chassait, préférant cette longue et incertaine aventure à la mort dans les flammes.

J'aimais ce récit, l'obstination des bêtes lourdes, leur volonté de vivre, la leçon exemplaire que nous donnaient ces têtes sombres. Et même s'il s'agissait d'une légende, j'en aimais la morale.

Et puis vint le temps de la chasse.

Un matin, je rencontrai, alors que j'accompagnais mes enfants en classe, Pierre-Joseph. Il se tenait redressé, un fusil accroché à son épaule, une cartouchière passée autour de sa taille. Il me paraissait plus vif et plus jeune même.

— On en a tué trois, lança-t-il. Venez les voir, venez.

Mes enfants me dévisageaient. Tué ? Ce mot, ils ne le connaissaient pas. Je ne leur avais appris que le verbe mourir puisque sur notre pelouse un oiseau aux ailes brisées était un jour venu s'abattre. Et j'avais voulu ainsi leur faire découvrir la vie dans toute sa vérité, de la naissance et de la mort. Mais je n'avais pas encore osé leur dire que souvent les hommes tuent et se tuent entre eux.

— Trois sangliers, précisait Pierre-Joseph, des gros, des vieux mâles, on les a guettés depuis l'aube, ils sont venus sur nous, en courant, pan pan pan.

Il faisait glisser son fusil et répétait, avec une jubilation que je ne lui connaissais pas : « pan pan pan, trois, des gros ». Je n'ai pas réfléchi. Il me semblait que cet homme, que je savais bon pourtant, était devenu fou et qu'il menaçait mes enfants de son arme, qu'il allait tirer sur eux. J'ai donné un coup de mon avant-bras sur le canon du fusil, le projetant vers la terre et j'ai entraîné mes enfants sans répondre à leurs questions.

Je me souviens tout à coup de ces scènes que j'avais vécues, d'une autre qui m'avait frappé et que j'avais vue dans un film, le réel et l'imaginaire se mêlaient pour dire la vérité.

A Varsovie, quand le mur qui entourait le ghetto fut construit, de jeunes enfants, plus jeunes encore que je ne l'étais, tentaient de glisser hors de ces quartiers enfermés pour acheter ou voler de la nourriture dans la ville libre. Ils creusaient sous le mur, comme l'auraient fait des animaux, des tunnels de taupe et s'y engouffraient. Mais souvent à la sortie des étroites galeries se tenaient des SS qui épaulaient — comme avait épaulé Pierre-Joseph — tiraient et faisaient sauter les corps brisés par les balles. Parfois ils se contentaient de donner des coups de botte dans les flancs de ces enfants et de les repousser dans la terre.

Il y eut aussi ce film, un peu étrange, que je vis en France, peu après mon arrivée. Un homme, un chasseur, était assis au bord d'un champ. Son fusil était appuyé à sa chaise. Il roulait méticuleusement une cigarette, veillant à ce que le tabac ne se répandît pas. Un enfant surgissait, espiègle, joyeux, et du bout de ses doigts, il faisait tomber la cigarette, puis s'enfuyait dans le pré. L'homme recommençait, une fois ou deux fois et l'enfant à son tour répétait son geste ; malgré les remontrances. A la troisième fois. l'homme épaula, visa l'enfant qui courait dans les herbes et l'abattit comme il l'eût fait d'un lapin.

J'étais sorti meurtri de cette projection. Elle avait éveillé en moi des souvenirs du ghetto que, des années plus tard, Pierre-Joseph rendait à nouveau proches.

Mes enfants m'interrogeaient avec insistance. Ils voulaient savoir pourquoi l'on tuait ces sangliers, pourquoi j'avais été si brutal, bousculant presque Pierre-Joseph. Et moi je ne savais que leur répondre.

— Tuer, c'est faire mourir plus vite ? demandaient-ils.

Ils devinaient avec cette intuition des enfants ce que je leur avais caché. L'une de mes filles s'accrocha à mon bras.

— Pourquoi ils le font ?

Et je craignais qu'elle-même demande si j'avais tué aussi.

Hommes de l'avenir, aurez-vous compris que l'on ne peut faire le partage entre les formes de vie ? Tuer ici et préserver là ?

Plus tard j'ai rencontré Pierre-Joseph. Il bougonnait.

— Vous alors, vous êtes violent, disait-il. Vous n'aimez pas la chasse, c'est votre droit. Mais si j'avais eu le fusil chargé vous auriez pu me blesser.

Comment lui expliquer que tuer un sanglier, un oiseau, est un acte meurtrier qui habitue à exercer le droit d'interrompre la vie ? Je ne veux pas être ridicule : entre l'homme et l'animal les différences sont immenses. Et tous les chasseurs ne sont pas des tueurs d'homme.

Mais ce goût de donner la mort, pourtant, je le crois contagieux.

On me jugera excessif si je dis que l'animal, pour moi, même le plus humble, exprime la vie. Mais si je vois de la tendresse dans le comportement d'une femelle, est-ce que j'invente ? Si je suis sûr qu'un animal frappé souffre, qu'il connaît la peur et l'anxiété et que la mort de ses proches le bouleverse, l'angoisse et le terrorise, est-ce que je mens ?

Hommes de l'avenir, mes enfants, serez-vous comme nous avides de tuer d'autres êtres vivants, de vous repaître de leur chair morte ?

Quand j'écris cela, je devine le sourire ironique de mes contemporains. Vous, je ne sais pas comment vous réagirez à ma question. J'espère que vous ne serez plus des tueurs ou ce que j'appelle des « *vivantophages* », *des mangeurs de vie.*

J'ai employé ce mot pour la première fois il y a des années. L'homme que je recevais était l'un de ces producteurs de cinéma qui s'intéressait à mes œuvres. Il était arrivé chez moi à la fin de la matinée, plein de force et de conviction. Grand, les épaules larges, il était corpulent, la peau tannée, le verbe haut. « Appelez-moi Jimmy », avait-il dit, « n'est-ce pas Martin ? » Son crâne était chauve, des cheveux blancs rares formaient au-dessus des oreilles une étroite bande de duvet qui lui donnait une allure d'oiseau. Son profil était aigu comme celui d'un rapace. Il voulait acheter les droits de cinéma de *Au nom de tous les miens*, raconter ma vie et celle de mon peuple assassiné en images. Je l'écoutais mais je n'éprouvais rien sinon une impression d'ennui. L'homme parlait et les mots qu'il prononçait bruyamment n'avaient aucune force et se perdaient dans l'air au-dessus de moi comme des bulles qui crèvent après avoir voleté.

— Vous êtes d'accord, Martin, n'est-ce pas ? Un très grand film d'action et d'émotion.

Cet homme-là, quelles que soient ses intentions, n'obtiendrait rien de moi. Il est des êtres dont on sent dès qu'on les voit qu'ils sont simplement une apparence, un poids de muscles, une arrogance. Sont-ils bons, sont-ils méchants ? Ils sont pour moi comme des volumes de chair inerte. Je les respecte parce qu'ils sont des hommes, des êtres de vie, qu'ils ont, comme moi, des sentiments, mais ils appartiennent à une autre planète dont je connais le paysage et qui me semble, peut-être cela paraîtra-t-il de l'orgueil, être bien en deçà du monde où je suis parvenu. Je ne me crois pas meilleur qu'eux, mais j'ai traversé l'horizon où ils se sont arrêtés. J'ai davantage souffert et une cicatrice profonde vaut mille ans d'études, une blessure est un pas vers la sagesse si l'on sait pourquoi on l'a reçue et ce qu'il a fallu pour la guérir.

Jimmy était un homme préservé, de ceux qui avaient parcouru la vie en voiture décapotable, joyeux, les cheveux dans le vent, et du soleil plein les yeux.

Je ne les envie pas.

Apprendre, même par le malheur, connaître la condition humaine, s'en sentir écrasé, tenter d'aider, à la faible mesure de ses moyens, les plus démunis, parler à ceux qui ne savent pas encore, rester droit, la nuque raide sous les coups, et si l'on tombe se redresser encore jusqu'à ce que les forces manquent, aimer et protéger, donner la vie si on le peut, partager : voilà ce que j'appelle vivre et tant pis pour ceux qui n'ont regardé que leur route, qui n'ont connu que la morose satisfaction égoïste de leur bonheur privé.

Il était là devant moi, Jimmy qui pérorait avec ses airs de fête.

Je l'observai encore. Il était l'un *des hommes du premier monde.*

Leurs vies, ce sont des actes et du bruit. Ils agissent avec efficacité, ils parlent. Ils s'imaginent qu'être homme cela signifie seulement faire. Ils sont pour eux-mêmes des masses obscures et jamais leur regard ou leur pensée ne réussit à s'arrêter sur ce qu'ils sont. Ils vont comme un soc de charrue s'enfoncer dans la terre et la retourner. Ils savent semer et récolter. Ils aiment prendre et posséder. Ils font chaque jour le tour de leurs biens. Ceci est à moi, disent-ils, fiers parce qu'ils ont, de leurs mains, accumulé ces richesses. Parfois ils gouvernent. Ils sont grands capitaines et conduisent leurs soldats courageusement à la bataille. Ou bien, chefs d'État, on les voit, empesés dans les costumes noirs de l'orgueil, croire qu'ils incarnent tout un peuple et qu'ils sont l'histoire. Ce sourire un peu las de la vanité transforme leur visage. Ils sont les meilleurs, pensent-ils, destinés depuis toujours à s'élever au-dessus des foules. Eux seuls comprennent. Eux seuls sont capables de diriger.

J'en ai connu tant de ces hommes-là.

Les premiers jours, dans les rues du ghetto, je les croisais enveloppés dans leurs pelisses, le chapeau noir enfoncé jusqu'aux sourcils, les gants de cuir fauve moulant leurs mains soignées, indifférents à la misère des autres, fiers encore de leur fortune passée ou de leurs fonctions. Ils regardaient la foule avec un mélange d'effroi et de mépris, de suffisance et de terreur. Quand je les rencontrai à nouveau, plus tard, la vie les avait dépouillés avec une brutalité rageuse. Ils erraient, perdus, affamés, nus, hommes qui avaient perdu le terrain stable de leur premier monde.

Pour survivre maintenant dans l'horreur quotidienne il fallait d'autres vertus que celle de l'apparence et des certitudes. Il ne suffisait pas de paraître ou de croire d'avoir en soi la force de l'acier qui tranche. Il fallait tout cela et autre chose encore, sinon l'on se brisait comme du verre que rien ne raye et qui pourtant s'émiette en morceaux.

Il fallait connaître les hommes et se connaître soi. Il fallait être solidaire et ne pas s'imaginer seul au monde. Il fallait recevoir le quignon de pain de la main d'un compagnon de misère au moment où la faim allait vous serrer la gorge à jamais et il fallait savoir arracher de sa bouche la moitié de sa ration pour la donner à plus affamé que soi.

Il fallait pour survivre appartenir à un autre univers qu'à celui du premier monde. Sinon on était tué, ou bien l'on se pendait parce que la vie était trop infernale. Pour durer il fallait des ressources morales, la dureté du verre et la douceur du velours. Il fallait connaître ses faiblesses et ne pas se croire invulnérable.

Je n'étais pas tout cela mais j'avais l'élan fou de la jeunesse, la volonté de vivre et j'étais dépositaire d'une force presque magique : l'exemple que mon père m'avait légué.

Il appartenait, lui, à un monde que je n'ai pas encore atteint, celui qui mêle la sagesse et le courage, l'audace et la prudence, la foi et l'humilité.

Il était l'un *des hommes du haut monde* et je voudrais que vous lui ressembliez, Hommes de demain, mes enfants à qui j'écris. Il m'avait, mon père, à jamais rendu différent des *hommes du premier monde* et grâce à lui j'avais su, dès l'enfance, les reconnaître, ne pas être dupe de leur prétention et de leur aveuglement, ne pas croire à la force qu'il prétendait posséder, ne pas les condamner puisqu'ils pouvaient vouloir eux aussi le bien de tous, labourer droit. Mais je restais sur mes gardes, la vanité et l'autosatisfaction pouvaient à chaque instant les perdre et sur le moindre obstacle le soc qu'ils croyaient être pouvait se briser.

Je regardais Jimmy. Il était bien un homme du premier monde. Il s'asseyait à table entouré par mes enfants. Ma femme posait devant chacun de nous un grand bol de bois d'olivier plein d'un mélange de salades vertes et de légumes râpés. Jimmy souriait avec commisération. Nous étions des « excentriques ». Notre refus de manger de la viande, il ne le comprenait pas. Quand je lui expliquai que nous n'étions pas des « vivantophages », que la chair morte nous la rejetions et que nous refusions de participer à ce carnage des abattoirs d'animaux, il secouait la tête, prenait une feuille de salade, me la montrait.

— Et cela, n'est-ce pas de la vie ? Faudrait-il se nourrir d'air et d'eau, ironisait-il.

Je connaissais l'argument. C'est vrai que la vie prenait les mille formes des végétaux, des arbres, des céréales et des fruits. C'est vrai que quand nous arrachions une figue à sa branche, nous interrompions un processus naturel et que la sève blanche qui restait accrochée au fruit faisait penser à une blessure. Mais j'étais capable d'expliquer qu'entre la vie végétale, le degré d'organisation des cellules et la conscience qui en naissait, d'une part, et, d'autre part, la vie animale avec ses ébauches de sentiments, ses aspects déjà de vie sociale, avec ses familles, ses hiérarchies, la différence était capitale. Nous ne tuions pas en labourant la terre, en semant et en récoltant le grain, nous ne martyrisions pas en prélevant les fruits des arbres. Ils réapparaissaient à chaque saison après la lumineuse floraison des bourgeons.

Jimmy riait. Je me défendais bien, disait-il, mais je ne le convainquais pas. Il mâchait sa salade en exagérant l'effort nécessaire.

— Je broute, disait-il. Je deviens un animal et pas n'importe lequel, pas un carnassier mais un ruminant, quel recul !

A l'en croire, si j'avais survécu durant la guerre, si j'avais échappé aux bourreaux, c'est parce que je n'avais pas encore adopté ces règles étranges.

— Une véritable mystique, Martin, concluait-il. Vous faites partie d'une secte, vous êtes une sorte de fanatique.

J'étais un fanatique de la vie, j'étais un mystique du respect de toutes les formes élaborées du vivant.

Hommes de demain, je ne sais si vous aurez conservé ce que nous avions bâti. Nous avions créé des machines à torturer les bêtes. Nous enfermions dans des cages les poulets que nous élevions en les gavant. en les contraignant à ne pas bouger.

Nous étions des bourreaux et nous dévorions à belles dents cette chair malade et flasque, ces animaux que nous avions paralysés.

Nous parquions dans des pièces éclairées artificiellement des bêtes, nous les piquions de médicaments afin qu'elles grossissent plus vite. Et qu'importait que, mangeant cette viande traitée chimiquement, nous devenions malades, nous nous empoisonnions.

Je dénonce cela et surtout notre furie carnivore, source de déséquilibre dans les répartitions mondiales des produits alimentaires, cette passion pour la chair morte, qui faisait de millions d'entre nous des vivantophages.

Je dis, et tant pis, Hommes de demain, si vous me traitez vous aussi d'excentrique et de fanatique, que ce n'est pas en vain qu'on dévore des cadavres, fussent-ils ceux d'animaux sains. On peut avec les céréales, le lait, les fromages, les fruits et les légumes se nourrir de manière équilibrée et respecter la vie.

Car tout en notre temps se tient. Ici des plats de viande rouge. Pour se les procurer il faut consacrer des milliers d'hectares aux pâturages. Et les cultures régressent et des peuples meurent de faim. Et qui dira l'effet sur chaque individu de cette participation au banquet de la chair ? Et croyez-vous qu'une civilisation puisse être pacifique quand elle torture, abat des millions d'animaux, victimes sans défense livrées à des bourreaux ?

Osons regarder dans l'arrière-salle de nos restaurants ces hommes qui gavent, qui enferment, qui dopent et qui égorgent. Osons imaginer, quand on pose devant vous le plat, l'animal joyeux qu'il a fallu abattre.

Pas d'hypocrisie !

Hommes du premier monde, sachez que votre nourriture naît du crime et du massacre.

Ils me disaient, Pierre-Joseph le chasseur, Jimmy l'homme fort, l'homme sûr de lui, qu'il en avait toujours été ainsi. Que la civilisation s'était construite sur l'écrasement et l'exploitation des espèces animales au profit de l'homme.

Pierre-Joseph se contentait de me parler de son expérience de paysan, des animaux que l'on attelait, du cochon que l'on égorgeait, des poulets que l'on saignait et de la chasse enfin, ce jeu utile qui rapportait la viande et permettait, jadis, de protéger les récoltes et les troupeaux contre les prédateurs.

Jimmy était plus savant. Il m'expliquait avec suffisance que l'énergie dont nous avions eu besoin pour inventer, passer de l'état primitif à la connaissance, ne s'expliquait que par l'apport d'une alimentation carnée. Nous avions dû tuer pour nous nourrir, prendre le ressort de la volonté dans la chair animale afin de l'utiliser à notre profit. Loi cruelle, admettait-il, mais même un croyant — et il l'était — devait constater que Dieu avait créé des espèces différentes, les unes faibles et sacrifiées destinées à nourrir les autres. Où était le mal puisque les animaux n'avaient point d'âme ?

Il fallait ma folie, mon hypersensibilité, celles de quelques hommes à lubies, végétariens et autres écologistes pour nommer crime ce qui n'était qu'ordre naturel. Car la dévoration mutuelle n'était-elle pas la loi même des espèces sur cette Terre ? Le tigre ou le lion dévorent l'antilope, la mouche l'insecte, le loup tue pour vivre. Avais-je la prétention de renverser l'ordre des choses, l'équilibre ?

Hommes de demain, j'avais cette prétention. Je voulais que changent les hommes, qu'ils s'arrachent au premier monde, qu'ils cessent d'être cruels, qu'ils abandonnent la loi du meurtre, qu'ils quittent le premier horizon.

Mais il me faut vous expliquer et reprendre notre histoire. Il est vrai que nous avons, aux premiers temps, commencé par chasser, et même notre semblable.

Nous tendions des pièges contre les bêtes, nous repoussions vers le bord des falaises les animaux rapides ou puissants que nous ne pouvions vaincre dans une lutte franche. Ils couraient apeurés, canalisés par les bruits dont nous entourions les troupeaux ou le feu que nous allumions, ils s'élançaient et la terreur aveuglait leurs yeux. Ils se jetaient par centaines du haut des rochers, se brisant le corps au terme de leur chute. Nous les guettions, hurlant de joie quand nous voyions ces masses de chair se précipiter du rebord des falaises. Il ne nous restait plus qu'à parcourir, une massue à la main, ce grand cimetière, à achever les blessés, à dépouiller les cadavres de leurs peaux, à emporter la viande et à faire avec les défenses et les os des armes plus acérées dont nous nous servirions pour tuer d'autres bêtes.

Nous étions inventifs et efficaces.
Nous étions cruels.
Nous appartenions au premier monde.

Or une autre organisation était possible et peu à peu elle modifia le tissu social. Nous capturâmes des bêtes, nous les enfermâmes dans des enclos, nous les utilisâmes pour le lait qu'elles nous donnaient ou la force de travail qu'elles étaient capables de fournir. Nous devînmes éleveurs et pasteurs, non plus tueurs de bêtes mais collaborant avec elles dans un équilibre plus stable, dans une douceur plus grande des mœurs. Et voilà la véritable révolution qui fit passer les tribus de chasseurs à un degré supérieur de civilisation. La chasse n'était qu'une forme rudimentaire et primitive de notre rapport aux animaux, traque toujours aléatoire, dangereuse et cruelle.

Pourtant nous n'y avons pas renoncé. Elle fait lever en nous encore trop de symboles. Nous aimons être des tueurs. Nous avons besoin de cette preuve dérisoire de la mort d'une bête pour nous sentir plus forts, rois des espèces, malins et terribles. Nous jetons sur la table les corps encore chauds des bêtes abattues, nous accrochons aux murs de nos demeures ces trophées d'ivoire, ces défenses pour rappeler notre orgueilleuse habileté. Nous marchons sur les glaces de l'Extrême-Nord, une massue à la main, et nous fracassons le crâne des phoques qui laissent sur le blanc immaculé de la banquise une trace rouge. Nous sommes restés des primitifs, des hommes du premier monde.

Hommes de demain, comprendrez-vous — aurez-vous compris — que cette violence est un cancer ?

Mais la chasse n'est qu'un aspect, le plus symbolique, de notre goût de meurtre. Nous dévorons la chair, ai-je dit, ai-je condamné.

Biologiquement, économiquement, moralement : rien sinon des habitudes d'avant ce qui doit être l'homme justifient ces comportements et cette passion pour la chair. Or je dis que nous resterons des hommes de la violence et de la guerre tant que ne sera pas réformée cette coutume barbare de la consommation d'animaux morts, de l'élevage concentrationnaire et artificiel de millions d'êtres vivants en vue de notre festin carnivore.

Je dis que nous perpétuons en nous l'homme du

premier monde en continuant d'être ainsi des chasseurs et des consommateurs de chair.

Notre âme ne peut devenir radicalement différente, humaine, qu'au moment où nous aurons changé cela, qui est la trame même de notre vie.

Hommes de demain, j'espère que vous ne me direz pas comme mes contemporains que tout cela est futile, qu'il n'y a là que lubie d'un maniaque.

En fait et vous l'aurez admis, je le souhaite, l'attitude que nous avions à l'égard des autres formes de la vie, les choix que nous faisions dans l'orientation de notre nourriture, étaient révélateurs de notre volonté de domination. Nous étions encore des hommes du premier monde, quadrillant la planète de nos espaces clôturés, faisant le désert autour de nous, enfermant toute vie qui ne nous ressemblait pas dans les prisons de nos élevages ou de nos zoos.

Et pire : souvent nous avons fait disparaître des espèces entières. Et parmi celles qui existent encore au moment où je vous écris, Hommes de demain, qui peut dire qu'elles subsisteront, que vous les connaîtrez ? Que seront devenus les derniers grands mammifères marins que l'on chasse et que l'on tue et qui s'en vont parfois mourir collectivement, se jetant par dizaines sur les plages comme si la volonté de vivre dans le monde que nous leur faisons les avait abandonnés ?

N'est-ce pas un crime contre la vie que ce

saccage des espèces vivantes que nous avons perpétré ou bien cette mise en esclavage d'autres espèces ?

Hommes de demain, je voudrais que vous vous sentiez responsables de l'ensemble des formes de la vie. Je voudrais que vous ne soyez pas restés ces « hommes du premier monde » qui ne concevaient les rapports avec les autres espèces que sous l'angle de la force ou de la mort. Puisque vous serez — comme nous sommes — les êtres vivants les plus aptes à organiser le monde, j'espère que vous aurez su multiplier les zones de vie afin que s'y maintienne le miraculeux équilibre fait de la diversité des visages de l'existence et de l'unité de l'énergie vitale.

Mais pour cela il faudra — il aura fallu — que vous cessiez de vous nourrir de la mort.

Car tout prend son origine dans cette cruauté préhistorique, ce goût de tuer pour remplir sa bouche. Pensez à la différence entre l'agriculteur contraint aux efforts quotidiens, à l'intelligence de la nature, obligé de passer avec elle des compromis, de se couler dans ses lois, et d'autre part le chasseur. Certes, suivre à la piste un grand carnassier pour l'abattre, traquer un éléphant ou un daim ne sont pas choses simples. Il y faut des qualités de premier plan : mais ce sont celles du guerrier, de l'homme qui poursuit, de l'assassin ou du voleur qui guette pour surprendre et tirer ou tendre son piège.

Je ne crois pas que les hommes des mondes évolués, ceux que j'appelle du « haut monde », aient besoin de ces qualités-là. On peut être vigoureux, habile, inventif sans être chasseur. On peut être en bonne santé, et homme de création, ingénieux, volontaire, sans se gaver de chairs mortes.

J'ai vu les hommes sages : ils ne sont ni chasseurs ni carnivores. Mais j'ai rarement rencontré des hommes de la chasse et des hommes des nourritures carnées qui ne soient des « hommes du premier monde », des hommes de l'acte aveugle qui se satisfait de lui-même, des hommes du pouvoir et des hommes de la vanité. Et aussi des hommes de la rivalité et donc des hommes de la guerre.

Car il me faut jeter ici ce mot : guerre.

Les hommes du premier monde appartiennent tous à l'univers de la guerre, à la société des soldats.

Suis-je excessif d'écrire cela ? Autour de nous, les hommes ne portent pas tous des uniformes. Ils ne sont pas hiérarchisés par des galons apparents. Ils se saluent courtoisement comme des hommes civilisés et ne se menacent pas de leurs armes à nu.

Mais je prétends pourtant, hommes de l'avenir, que nous étions une société guerrière, que les hommes du premier monde transformaient chaque action en bataille, et presque chaque relation humaine en conflit et en compétition. Je dis qu'ils avaient fait de la vie sociale une continuation de la chasse. Et qu'ils étaient dans cette société aussi cruels qu'avec les animaux qu'ils pourchassaient.

Hommes de l'avenir, la bonté ne pouvait pas exister dans un monde où l'on continuait de tuer et de se nourrir d'animaux morts.

Je ne sais si je vous aurai convaincu, et parfois je doute que l'influence des meilleurs d'entre nous ait été assez forte pour vous permettre d'échapper à ce que nous fûmes.

Car autour de moi je ne voyais le plus souvent qu'aveuglement, que résistance, qu'ironie. Pierre-Joseph le chasseur et Jimmy ne voulaient pas vraiment m'entendre. Ils m'écoutaient poliment, enfermés dans leur certitude.

— Si ça vous fait plaisir de manger comme ça, monsieur Gray, disait Pierre-Joseph, chacun est libre, ce n'est pas moi qui vous critiquerai, mais alors — il me menaçait du doigt — laissez-moi libre de chasser, c'est pas vous que je vise.

Ils ne comprenaient pas qu'atteindre ou mutiler la vie était en fait blesser chaque être vivant, quelle que soit sa forme. Car, j'imagine, et peut-être, Hommes de demain, aurez-vous la même conviction, que nous formons, nous les vivants l'enveloppe sensible de la Terre, une couche unique, et chaque blessure qu'on lui apporte est comme le trou dans un tissu. Ils croyaient, les hommes du premier monde, être à l'abri, comme si l'on pouvait, quand commence une déchirure, en limiter la longueur, comme si fil après fil ce n'était pas tout le tissu qui s'effilochait.

Mais il aurait fallu pour que ces hommes du premier monde m'entendent, qu'ils fussent solidaires, qu'ils se sentissent responsables du destin collectif, éléments de cette épaisseur de vie qui fait la beauté unique de la Terre et est le sens de la création. Or chacun d'entre eux — chacun d'entre nous, car je ne suis pas meilleur qu'eux, j'appartiens à cette époque de fer et d'égoïsme qui fut la nôtre — était d'abord enfermé en lui-même, soucieux de lui et de ses proches immédiats, le reste, les autres hommes, les autres vies, qu'importe !

— Je vous admire beaucoup, me disait Jimmy, toutes ces lettres que vous recevez, ce mouvement vers vous, ces livres que vous écrivez, mais…

Il me prenait par le bras, m'entraînait vers la pelouse qui s'étendait devant ma maison. Il avançait à pas lents, le ventre en avant, avec cette assurance tranquille des hommes qui s'imaginent que leur vie est réussie et qu'ils sont sur cette Terre pour l'éternité, et quand le jour viendra de leur départ je les entends déjà crier de peur. Mais c'est une autre histoire. Il me conseillait donc, Jimmy, de ne pas me laisser envahir par toutes ces sollicitations, ces questions qu'on me posait d'un bout à l'autre des continents. Et j'avais ouvert devant lui la lettre d'une jeune fille de dix-huit ans qui m'écrivait d'un village de Bretagne pour me dire : « J'écoute le monde d'aujourd'hui, il me fait peur... Le sang coule et je ne peux rien... Je ne veux pas voir. »

Jimmy haussait les épaules. Toujours, à toutes les époques, les hommes avaient eu le sentiment de l'injustice et de l'impuissance, expliquait-il. L'inégalité et la misère n'étaient pas plus grandes aujourd'hui. On ne pouvait pas assumer tous les malheurs du monde, concluait-il.

— Je vous mets en garde, Martin, ces gens-là, ceux qui vous écrivent, finalement ce sont des...

Il cherchait ses mots, n'osait pas les prononcer encore, hésitait, me dévisageait, préférait dire : Des braves gens, bien sûr, dignes d'attention mais enfin, entre nous, Martin, auriez-vous écrit, vous ? Ce sont des faibles, n'est-ce pas que vous êtes d'accord avec moi ?

Ils étaient — ils sont ainsi les hommes du premier monde — incapables d'admettre que le désir de communication entre les êtres est un besoin noble. Qu'il y avait plus de grandeur dans les questions de cette jeune lectrice de dix-huit ans, dans l'expression de ses incertitudes que dans leur prétention. Mais je l'ai dit, ils étaient les hommes du premier monde, donc des hommes de guerre, des hommes qui ne croient qu'aux rapports de force.

Vers l'autre on ne va que pour dominer ou tuer ou dresser ou prendre de l'argent, des idées ou du plaisir. L'échange simple, la parole tressée à celle de l'autre simplement pour que naisse l'amitié ou l'amour, on ne les connaît pas.

Gens faibles, gens naïfs, ceux qui m'écrivaient ? Ils étaient au contraire la part pleine d'espérance de cette couche vivante que nous formons.

Naïfs ? Pour les hommes du premier monde croire qu'une voix peut vous aider, croire que demain ne sera pas, grâce à l'amour qu'on donne et reçoit, aussi sombre qu'aujourd'hui, imaginer les mains qui se lient l'une à l'autre, la Terre pacifiée, ou bien se sentir coupable de ne pas agir en faveur des autres, pas assez, et souffrir de cette condition, croire et éprouver cela c'était faire preuve de naïveté.

A mes yeux c'était affirmer son humanité.

Je n'ai pas accepté que Jimmy s'empare de ma vie et de mon livre pour le transformer en images. Il voulait bien faire mais il eut fallu qu'il ait un cœur et un regard différents.

Plus tard d'autres hommes sont venus. L'un avait perdu un fils dans des circonstances tragiques et la lecture de mes livres lui avait permis de traverser les moments les plus difficiles. Il désirait aider à la naissance d'un film qui serait pour des milliers de spectateurs une impulsion de vie et de réflexion. L'autre, homme encore jeune et déjà plein d'expérience, avait été bouleversé par la lecture de mon livre. Il appartenait à ma communauté. Ni l'un ni l'autre n'avait la prétention orgueilleuse de Jimmy. Ils cherchaient d'abord à communiquer ce que j'avais vécu et ce qu'ils avaient ressenti. A eux j'ai accordé l'autorisation de tourner.

Hommes de demain, vous aurez en fouillant nos archives la possibilité de voir les images de ce film, vous verrez une famille qui fut heureuse. Vous verrez s'animer les rues de Varsovie et vous verrez les foules affolées conduites à la mort. Vous regarderez aussi les documents d'actualité. Car les bourreaux filmaient notre mort. Observez-les, observez-nous, nous les victimes, eux les tueurs.

Les images reconstituées et les images vraies se superposent. Vous découvrirez ce que nous étions pour les gardiens, les soldats : des animaux qu'on poussait vers la mort. Des animaux dont on se moquait, qu'on forçait à gesticuler, à s'agenouiller, à faire le beau.

Regardez les camps. Regardez le ghetto où tout un peuple fut enfermé. On avait mis des millions d'hommes dans un zoo, on nous dirigeait en longues colonnes vers les chambres d'agonie. On disait de nous : « Ce sont des moutons. » Et les chiens des bourreaux étaient mieux traités que nous.

Alors, Hommes de demain, direz-vous encore que j'étais fou quand je voulais qu'on respecte aussi la vie sous ses formes non humaines ?

Celui qui traite les animaux comme s'il s'agissait

de choses inertes, celui qui brise leurs vies, les mutile, les martyrise ou les dévore, est prêt un jour à considérer les hommes comme des animaux.

Et l'histoire alors est pleine de sang et de hurlements comme un abattoir.

3

Mourir, vivant, de solitude

Hommes de demain, ne haussez pas les épaules. Ne dites pas : cet homme a été blessé, au lieu de parler il crie. Cet homme ne réussit pas à oublier et, malgré sa force, il craint de se laisser submerger par le désespoir. L'époque dans laquelle il vivait n'est pas aussi sombre qu'il le dit. Cet homme est semblable aux prédicateurs qui avertissent et lancent leurs imprécations excessives pour réveiller les consciences assoupies.

Ne pensez pas cela, Hommes de demain.

Je connais le bonheur même si je garde en moi la brûlure de l'enfer. Mes enfants chantent autour de moi. Ma femme entoure mon cou de ses bras. Son jeune sourire est comme un soleil neuf. J'ai remué la terre devant ma maison, créé des vallons et ouvert le lit d'une rivière. J'ai planté des arbres fruitiers et des massifs de fleurs. Les oiseaux qui avaient déserté la colline après l'incendie sont depuis longtemps revenus. Des lapins sauvages traversent les prés. Des terrasses de mes maisons de pierre j'aperçois la mer, les îles, un horizon ouvert beau comme un rêve et les montagnes enneigées forment au loin une ligne d'un bleu plus profond que celui du ciel.

Je n'ai aucune hargne malgré les cicatrices toujours ouvertes. Je n'en veux à aucun homme. Que chaque coupable porte en lui son verdict et sa condamnation. Je pourrais me réfugier paisiblement au cœur de mon domaine et écouter battre le cœur de mes enfants et de ma femme.

Je pourrais n'être que nous, les miens revenus.

Parfois je m'interroge. Ne serait-ce pas là la sagesse ? Ne faudrait-il pas clôturer sa vie derrière les arbres épais ? N'ai-je pas été assez mêlé à tous ces conflits et ces drames ? Ne m'a-t-on pas traîné cent fois dans l'abattoir ?

Je m'y refuse. Qu'on ne me décerne aucun mérite. J'ai dans les yeux trop d'images encore pour pouvoir m'endormir calmement dans ma chambre close et confortable et je sais trop que les foules sont toujours rassemblées en de nombreux points du monde pour être dirigées vers les lieux de la mort.

Et puis je veux que mes enfants vivent, qu'ils soient des hommes de demain. Comment pourrais-je me désintéresser de leur destin et croire qu'en mettant sur leur lit une couverture de plus je les protège ?

C'est le froid du monde qui les glacera si je n'y prends garde. Et c'est pourquoi je crie et c'est pourquoi je vis.

Ne m'accusez donc pas, Hommes de demain, d'être l'un de ces malheureux qu'on voit — que j'ai vu — dans les guerres, le corps pris par les flammes et qui gesticulent et qui hurlent. Si je n'avais conscience de ce qui nous menace vraiment, si je ne voulais vous dire ce que nous fûmes et que vous devez éviter, je m'assiérais, le dos contre la façade de ma maison, le soleil d'hiver ayant réchauffé les pierres. Je regarderais les enfants jouer, je suivrais la course des chiens dans l'herbe, ou le vol des oiseaux. J'écouterais la musique se mêler au souffle du vent.

Mais le bonheur pour moi est partage.

Mais l'amour est ouvert sur les autres.

Mais je suis par toutes mes fibres lié à cette trame humaine, à cette couche de vie qui enveloppe le monde.

Je vois au-delà de moi. J'entends les cris venus d'au-delà du monde. Les morts je les vis. L'avenir je le veux moins sombre. Et pour cela il ne faut rien cacher.

Une plaie pour être soignée doit d'abord être ouverte. Je le fais pour vous, Hommes de demain.

Regardez d'abord notre corps et notre visage. Je ne pense pas à la beauté ou à la laideur. Il n'y a de beauté que de l'âme et celle-ci peut modeler les traits. Mais justement, repérez, dans nos apparences, ces rides, ces bouches pincées, ces regards ternes : notre anxiété, notre angoisse, notre ennui.

J'espère que vous aurez compris que le corps n'est pas qu'une enveloppe de chair qu'on peut ignorer ou contraindre, que la chair *est* l'âme elle-même comme l'âme aussi est corps. Et nous vivions en fait dans l'ignorance de ce mystère de l'union de la chair et de l'esprit, de leur unité vivante. Nous étions persuadés, nous hommes du premier monde, que l'on pouvait à son gré découdre, comme on le fait d'une doublure, l'âme du corps, le corps de l'âme.

Et nous déchirions tout le tissu, nous nous blessions au plus profond.

Je vis cette entaille de l'être quand je reçus un jour, chez moi, une jeune femme venue des États-Unis. Je nommerai Rosalie cette lectrice qui arrivait de si loin avançant lourdement vers moi, le corps enveloppé dans une robe de toile sans forme pour tenter de dissimuler son embonpoint. Elle était grosse, à la manière de trop d'entre nous, les mains potelées, le visage rond, les joues semblant manger la bouche, les lèvres fines, les yeux enfoncés et dans le regard un désespoir dont elle voulait me faire part comme une petite fille qui a peur et ne sait plus vers qui se tourner.

Elle regardait autour d'elle avec inquiétude et comme si elle découvrait un univers auquel elle n'accéderait jamais. Ma femme passait, joyeuse, légère, mes enfants couraient pieds nus, insouciants. Je crois que nous respirions la vigueur, un accord entre notre apparence et notre âme. Nous étions d'une seule étoffe. Je la devinais divisée, déchirée, étouffée par ce corps encombrant dont elle ne pouvait modifier la forme, pensait-elle. Elle mit longtemps à se confier, parlant d'abord de mon action, de mes livres, du réconfort qu'elle y avait trouvé. Elle s'interrompait cherchant ses mots, n'osant pas encore m'avouer sa peine, cette certitude qu'elle portait et qui l'étouffait. Tout à coup, comme nous étions seuls dans la pièce où nous nous trouvions parce que j'avais compris qu'elle ne parlerait que si personne d'autre que moi ne l'écoutait, elle murmura :

— Vous voyez, Martin Gray, je suis laide, je suis grosse, j'ai honte de moi, je ne peux rien contre ça.

Prononçant ces paroles son visage s'était crispé, enlaidi, exprimant l'amertume et la rancœur. Que pouvais-je sinon l'écouter, tenter de la comprendre et lui parler ?

Je n'avais aucun remède miracle à lui conseiller. Je n'étais pas un guérisseur, je ne soignais ni par les plantes ni par l'apposition des mains. Je n'étais pas un charlatan. Je n'étais qu'un homme qui avait appris certaines choses de son expérience douloureuse, qui avait écouté au long de ses voyages des hommes différents et avait rencontré parmi ces milliers d'êtres qu'il avait côtoyés quelques sages qui appartenaient à ce *Haut Monde* de la sagesse et de la réflexion, hommes en avance sur le temps où ils vivaient, *hommes-germes, hommes-promesses, mes Maîtres.*

Ils m'avaient dit, à mon arrivée aux États-Unis : « Purifie ton corps si tu veux alléger ton âme et posséder ta pensée. »

Ils m'avaient convaincu de la nécessité du jeûne pour se débarrasser des souillures. Et ils m'avaient guidé vers des médecins qui savaient contrôler les rythmes du corps quand on se soumettait à ce qui est une épreuve.

Avec ces hommes-promesses j'avais acquis la certitude que la manière dont on se nourrit oriente toute la vie. Voilà pourquoi suivant l'enseignement de ces Maîtres, j'avais rejeté l'alimentation brutale qui a pour origine le meurtre d'autres vies.

En quelques mois je m'étais débarrassé d'une gangue qui m'écrasait, j'étais né autre et j'avais compris qu'une des causes essentielles du malheur qui ronge l'âme de certains d'entre nous tenait à la manière dont ils se nourrissaient. Mais cette manière elle-même de dévorer était, à son tour, provoquée par l'angoisse. Nous ressemblons à des bolides aveugles dont tous les freins ont lâché et qui roulent de plus en plus vite sur les pentes, vers les abîmes. Chaque instant qui passe, chaque acte qu'ils accomplissent les fait accélérer et se rapprocher de la catastrophe.

Je sentais que Rosalie n'en était plus éloignée.

Il est une façon de se tenir qui est déjà aveu et Rosalie semblait enfermer son corps lourd entre ses bras, les mains sur les épaules, la tête penchée, comme si elle n'avait déjà plus eu la force de se redresser, l'anxiété s'exprimant par le battement des paupières, le regard d'une femme qui craint d'être vue et souhaiterait disparaître aux yeux des autres, mourir donc. Je voulais lui dire d'abord qu'il faut se prendre en charge et accepter ce don premier qu'est notre apparence, en mesurer l'infinie richesse même quand on peut croire, en comparant, que le sort ne vous a pas été favorable. Comment lui expliquer, vous dire, à vous qui sentez parfois que la peau vous colle comme une mauvaise tunique trop serrée, ou bien qu'un poids vous écrase, là au creux de la poitrine, que vous possédez pourtant — que vous créez — une vraie richesse.

J'observais Rosalie, je l'écoutais geindre et me raconter sa vie comme une longue plainte, ses parents séparés, la petite ville des États-Unis où l'on se sent si seul malgré la gentillesse apparente des voisins, leurs saluts matinaux et leurs invitations ; le changement qui s'était opéré en elle quand elle avait vécu avec sa mère, dans la maison désertée par le père, ce poids qu'elle avait pris. Elle jurait qu'elle avait tout essayé, le régime alimentaire, les drogues, les psychiatres, l'amour, que peu à peu cependant elle s'était trouvée rejetée, au collège puis à l'université, ou bien qu'elle n'avait plus osé sortir, aller vers les autres. Elle le reconnaissait, peut-être était-elle responsable de son isolement. Mais, elle me demandait de l'approuver : comment aurait-elle pu ? Elle savait se voir. Elle ne desserrait pas les bras mais comme les enfants que la peur et le malheur habitent elle secouait la tête d'avant en arrière dans un balancement qu'elle ne contrôlait pas.

— Je suis laide, je suis laide, disait-elle, ajoutant d'une voix plus sourde, je suis si grosse.

Hommes de demain, ne vous moquez pas.

Peut-être direz-vous qu'on ne trouve pas habituellement cela dans les livres. Ces personnages qui ne sont pas héroïques, qui n'ont — le direz-vous ? — que de petits malheurs et demeurent enfouis dans l'oubli et dans leur souffrance sans gloire. Peut-être vous étonnerez-vous que je tire de l'obscurité où l'indifférence les enferme ces hommes et ces femmes qui, telle Rosalie, sentent en eux un désespoir dont eux-mêmes souvent ont honte. Comme s'ils imaginaient, sous la pression des autres, que la tristesse et l'anxiété n'ont pas droit de s'avouer quand elles n'ont pas pour causes de grandes calamités.

Hommes de demain, pensez de moi ce que vous voulez, mais la souffrance et la peine, même ces sentiments gris qui viennent d'un corps qu'on n'aime pas, d'un de ces malheurs qu'on dit petits parce qu'ils ne vous atteignent pas, je les prends en compte. Toute souffrance a droit d'être dite et toute peine doit pouvoir s'avouer.

Il n'est pas de hiérarchie dans le malheur.

J'ai connu des enfants qui se sont tus parce que tout à coup ils croyaient qu'une mauvaise note scolaire brisait leur vie. Je ne joue pas avec la peine, je ne méprise rien de ce qui fait mal.

J'écoute Rosalie.

Je crois même qu'elle est plus digne d'attention que le grand politique ou le chef de guerre qui ont conquis le monde et, au soir d'une défaite, joue théâtralement la scène du désespoir. Rosalie et ses sœurs et ses frères vivent un malheur sans gloire. Et il n'en est que plus grand.

J'ai voulu connaître la racine de ces malheurs, m'enfoncer dans le quotidien sans prestige qui fait surgir les amertumes creusant au coin des bouches ces rides du regret. J'ai voulu préciser le moment où l'engrenage qui transforme une force de vie en mécontentement, en nostalgie et en grisaille, s'est mis à tourner, sans que celui qu'il écrase puisse l'arrêter, échapper à cette machine dont il est à la fois la victime qui subit et le moteur qui entraîne.

Et qu'on ne dise pas une nouvelle fois, Hommes de demain, que cela ne regarde que chacun d'entre nous, que c'est affaire de vie privée. Ce sont ces insatisfactions individuelles, ce brouillard qui enveloppe les existences, cette sensation d'étouffement que ressentent tant d'entre nous qui en s'accumulant créent une grande part du malaise de nos civilisations.

Nos sociétés meurent parce que vous et moi ne trouvons pas l'équilibre, mais l'agressivité de chacun de nous, notre haine pour l'autre parfois, notre désir de guerre sont le résultat de ce déséquilibre qui nous étreint, le fruit de nos angoisses.

Alors savoir le pourquoi de ce mal de vivre, de ces regrets, de ce sentiment de frustration qui noue notre gorge, devient, Hommes de demain, non pas tâche mineure mais nécessité vitale.

Si l'homme et la femme se tiennent droits, si l'homme et la femme s'acceptent, si entre eux existe l'harmonie, si chacun d'eux reconnaît et comprend quelle est sa nature profonde, alors, Hommes de demain, nous ne serons pas, les uns pour les autres comme des boules de feu, des grenades, toujours prêtes à exploser et à projeter nos éclats sur autrui.

Et notre monde enfin sera ce que je rêve qu'il est pour vous : paix, équilibre, sagesse.

J'ai donc écouté Rosalie me parler de sa vie.

Elle le faisait à petits coups comme on arrache les pansements d'une plaie, quand on craint la douleur trop vive et qu'on dénude peu à peu, lentement, ce qui vous fait mal. Je la laissais aller à son rythme, je pensais quand le silence s'étendait entre nous à toutes ces confidences que j'avais recueillies, aux dialogues que j'avais noués avec mes milliers de correspondants par l'intermédiaire de mes livres, à tout ce que j'avais moi-même souffert et à ce que la douleur m'avait enseigné.

Hommes de demain, j'ai bénéficié d'un grand privilège qui m'a imposé un impérieux devoir. Je savais, plus sans doute que beaucoup, ce qu'était le malaise des hommes et des femmes de mon temps. Il me suffisait d'écouter ces voix, pareilles à celle de Rosalie, de lire ces lettres, de répondre à ces appels téléphoniques d'inconnus qui voulaient me parler parce que la vie tout à coup leur paraissait vide, pour deviner et savoir.

J'avais le sentiment que tout cela ne devait pas demeurer en moi, qu'il fallait — et c'était la tâche que ces hommes et ces femmes me commandaient — que je tire la leçon de nos conversations, de nos aveux mêlés.

Sous la voix de Rosalie j'entendais le murmure de toutes ces autres voix.

Elles me disaient, chacune avec son accent : nous souffrons d'abord de l'absence d'amour, nous mourons, vivants, de solitude. Cela commençait pour presque tous à l'enfance.

Qu'étaient-elles devenues les grandes familles accueillantes ? Et les liens stables entre leurs membres, pourquoi s'étaient-ils fendillés, puis brisés ?

L'enfant ne trouvait plus que rarement une main qui s'offrait pour le guider ? Quel adulte avait le temps de le prendre sur les épaules, de l'écouter hésiter ?

L'envers du désir de liberté des hommes et des femmes, les coulisses de cette indépendance que chacun revendiquait, c'était la solitude de l'enfant.

Rosalie me racontait ses premières années, la maison vide autour d'elle, une jeune étudiante venue pour la garder et qui s'installait devant le poste de télévision, les parents sortis pour un dîner ou un spectacle.

— Sois sage, chérie, avait dit la mère. Rosalie avait entendu les consignes chuchotées à l'étudiante : Ne restez pas dans la chambre, sinon elle vous parlera et ne dormira pas. Laissez-la vous appeler, elle se lassera. Et plus fort la mère ajoutait : Dors, chérie, nous revenons.

Elle attendait son père et sa mère, blottie dans son lit, figée par la peur avec si fort ce sentiment d'abandon et de solitude qu'elle avait envie de hurler, de répéter « Maman, papa », sans fin, parce qu'il faudrait bien qu'ils reviennent. Ils n'imaginaient pas combien elle souffrait de leur absence. S'ils avaient deviné, jamais ils ne l'auraient laissée seule.

Du rez-de-chaussée de la maison montaient les voix des acteurs de la télévision, les bruits violents des films qui fascinaient la jeune étudiante qui gardait Rosalie. Et cela augmentait encore la peur de la petite fille. Quand elle réussissait à somnoler se mêlaient à ses cauchemars ces voix inconnues, ces musiques dont elle oubliait d'où elles provenaient. Elle se réveillait en sursaut : la nuit était tout autour d'elle, comme dans une tombe.

Elle me disait, de sa voix hésitante, les mains toujours accrochées à ses épaules, les bras croisés sur sa poitrine, la tête allant d'avant en arrière :

« Vous ne savez pas, Monsieur Gray, mille fois j'ai eu envie de mourir. »

Je savais.

Hommes de demain, il faudrait que vous vous arrêtiez ici un instant. Il y avait tant d'enfants qui mouraient parmi nous, dans notre société du premier monde.

J'ai parlé de ceux, aux yeux brillants de fièvre et de faim, de ces millions d'enfants dont la peau tendue, si mince, était déchirée par le besoin de manger.

Et nous les laissions crever.

Je pourrais aussi parler de ceux que nous avions tué tout au long de nos guerres, enfouis sous les décombres, écrasés sous les chenilles des tanks, brûlés par le gaz et le feu dans les chambres de mort des camps de concentration.

Et de ceux pour lesquels nous avions fabriqué des pièges spéciaux, pour eux seuls : ces faux jouets qui explosaient quand ils les prenaient dans leurs mains. Et quand les enfants ne mouraient pas, il fallait les amputer ou bien leurs visages étaient à jamais rendus aveugles et lacérés. Ces douceurs truquées, pleines de poisons que nous jetions dans les champs pour qu'ils les ramassent et s'en gavent, et meurent.

Hommes de demain, je parlerai de tous ceux-là, nos victimes. Et quand on dit que nous sommes civilisés, Hommes de demain, je pense à eux, à ces millions de petites vies que nous avons laissé saccager par le manque de pain, pourrir par la misère, détruire par la violence.

Pour cela vous aurez raison de nous accuser et si vous tendez, depuis votre époque, un doigt vengeur vers nous, si vous dites : « Vous avez toléré l'inadmissible et vous saviez, vous deviez savoir », je ne me défendrai pas. Je plaiderai coupable. Le hasard, il y a quelques jours, alors que je réalisais cette page m'a fait ouvrir un magazine et j'y ai vu deux photos que depuis je ne peux plus oublier. L'une représentait un enfant vivant. Si l'on peut appeler vivant cette silhouette amaigrie au profil de vieillard. Il serrait dans sa main droite une poignée de riz qu'il allait porter à sa bouche, déjà ouverte, avide.

Et cette image me donnait, Hommes de demain, une envie folle de mourir. J'avais honte, la nausée me submergeait.

Étions-nous ainsi, nous les hommes du premier monde, si cruels, si barbares ? A quoi servaient donc nos grands et beaux discours et notre orgueilleuse science ?

La deuxième photo était plus paisible et plus terrible. J'en parle parce qu'il le faut, qu'il est nécessaire que vous sachiez ce que nous faisions, ce que nous acceptions : la mort des enfants.

Elle représentait, dans un cercueil de verre, le corps mort d'une petite fille de quatre ans miraculeusement conservé après embaumement. Ses cheveux blonds bouclés cachaient son front. Un nœud de tissu rose donnait à son visage un air de fête. Elle paraissait dans son immobilité froide comme une poupée attendant le réveil de la vie.

Elle était morte, cette petite fille, enfouie dans

les catacombes d'un couvent de capucins de Palerme, objet de curiosité, photographiée, et ces images multipliées étaient diffusées à des millions d'exemplaires et l'une de ces copies était venue jusqu'à moi, par le hasard qui a toujours un sens. Car je crois que les événements et les êtres sont comme aimantés. Ils vont l'un vers l'autre portés par des forces souterraines puissantes comme des flux électromagnétiques. Il n'y a que des rencontres, il n'y a pas de hasard.

Je regardais ce visage de petite fille beau, insoutenable et tragique. Je pensais à la souffrance indicible des parents, à la plaie toujours ouverte qu'ils ont porté en eux, comme la marque de la précarité de l'humanité, comme une question jamais résolue, celle du pourquoi de cette mort, pourquoi elle, leur fille !

Et j'avais cette question multipliée en moi, plus violente que je ne peux l'écrire, si vive que je ne pouvais regarder ce visage — cette photographie — sans avoir envie de hurler, de m'enfuir.

Mais il fallait tenir les yeux ouverts, empêcher que des millions de visages d'enfants ne prennent cette rigidité de cire.

Et il y avait tant d'enfants, comme Rosalie, qui pouvaient dire : « Mille fois j'ai eu envie de mourir. »

Le scandale était d'autant plus grand que ces enfants-là, comme Rosalie, avaient devant eux des tables de l'abondance, qu'ils vivaient dans le confort de chambres douillettes, qu'ils bénéficiaient d'un enseignement élaboré, ils avaient quand il neigeait des gants pour que leurs doigts ne gèlent pas. Mais qui se souciait de leur cœur et du froid glacial qui les enveloppait quand ils se trouvaient seuls, dans des familles sans tendresse et divisées ou avec des parents soucieux d'abord de leur propre vie, à eux, de leurs projets, à eux, de leurs besoins, à eux ?

Qui donc avait appris à ces parents-là que les enfants s'ils ont besoin de pain ont aussi un besoin fou d'amour et meurent, vivants, de solitude ?

Je me souviens d'un livre de l'un de mes amis, écrivain. Peut-être parce que souvent je lui avais parlé de ce cancer qu'est la mort des enfants, avait-il dans l'un de ses romans créé deux personnages d'adolescents (mais que sont les adolescents sinon des enfants qui ont l'apparence d'hommes ?) nantis de tous ce dont ils avaient besoin, sauf d'attention, et qui souffraient tant qu'ils en décidaient de mourir.

Je veux ici écrire ces deux poèmes que la petite fille de ce livre laissait en testament accusateur.

Dans l'un elle parlait de sa vie d'enfant de parents séparés.

Je suis la petite fille
Seule
Du dimanche

On me prête à mes grands-parents
Maman
S'en va, avec...
Quelle importance
Il change
Je ne suis pas si triste que ça.

Elle croyait, cette Mathilde douloureuse inventée par un romancier (mais j'ai rencontré dans les lettres que l'on m'écrit tant de cas semblables qu'il me semble qu'il s'agit d'une vraie confidence — et peut-être l'est-elle ? —) pouvoir supporter cette vie-là.

Non. Mathilde n'était pas assez forte pour survivre. Et tout la révoltait de notre vie, si souvent corrompue. Elle écrivait plus tard entraînant avec elle son compagnon Pierre — lisez et relisez cela, Hommes de demain :

Notre sang
Si nous vivons
Deviendra boue
Comprenne qui voudra
Pardon
A ceux
Qui nous aiment

Mais Pierre s'en va avec moi
Mais Mathilde s'en va avec moi

Les autres
Que Dieu
S'il le peut
Soit bon avec eux.

Et ils avaient choisi la même route, Hommes de demain, la route de la mort. Et nous aurions dû toujours nous accuser, nous sentir à chaque seconde responsable.

Mathide avait osé franchir le pas, lancer sa mort vers nous comme un cri et une accusation. Mais les eaux se referment si vite et nous voulons tant croire qu'elles sont calmes que nous oublions et refusons de garder en nous cette vérité que nous hurle toujours la mort d'un enfant.

Elle ressemble à un orage qui est toujours précédé de signes, et parfois si longtemps à l'avance qu'on ne les relie pas plus tard au drame qui est survenu. Et pourtant il s'agissait d'appels au secours, de signaux de détresse adressés par l'enfant à ceux qui auraient dû l'entourer d'amour.

« Mille fois j'ai eu envie de mourir », m'avait dit Rosalie.

Une mère, un jour, dont la petite fille, Myriam, avait choisi le chemin de Mathilde, m'avait téléphoné puis rendu visite. C'était une femme grande et brune, au visage rond. Si elle n'avait pas eu de profonds cernes sous les yeux, on eu pu imaginer qu'elle était une femme heureuse, dont la vie lisse se déroulait sans drame. Elle se tenait très droite contrairement à l'attitude qu'avait adoptée Rosalie. Elle était de ces personnes courageuses qui font face, mais qu'on imagine parfois insensibles parce qu'elles savent maîtriser leurs sentiments alors qu'elles essaient seulement de survivre avec dignité. Elle n'avait pas été trompée. Je connaissais ces signes de la détresse, ces marques sur le visage, cette couleur des yeux qui dit la peine à jamais présente.

Elle aussi me parlait d'une enfant morte, des mains qu'elle avait tendues vers elle et qu'elle n'avait pas su saisir.

Sa petite fille il y a quelques années, me racontait-elle, ayant eu de mauvais résultats au lycée, elle s'était rendue auprès du proviseur. Celui-ci avait déclaré avec irritation que cette enfant était supérieurement intelligente, mais autoritaire, méprisante, pleine d'ironie à l'égard des professeurs, les interrompant parfois de ses sarcasmes, refusant de se plier à la discipline, affirmant à chaque fois qu'elle le pouvait son indépendance, se moquant des uns et des autres. « Orgueilleuse, Madame, prétentieuse votre fille », avait conclu le proviseur.

Je n'aime pas ces adultes qui jugent les enfants avec sévérité. Que savaient-ils de nos filles et nos fils quand nous avons choisi de les appeler à la vie ? Quel monde leur avons-nous donné ? Quel spectacle leur avons-nous offert ?

Je pense aussi à vous, Hommes de demain, quand je pose ces questions. Si vous n'étiez pas tels que j'espère — car j'ai foi en l'homme et en son âme — je ne pourrais, si par miracle j'étais mêlé à vous, vous en vouloir. Nous vous avons alourdis d'un tel héritage, d'un tel poids d'habitudes et d'une telle tradition de violences, que vous auriez des circonstances atténuantes à présenter.

Et les enfants les plus terribles sont pour moi encore des innocents.

« Mais, m'expliquait cette mère, grande et brune, je n'avais pas pensé à cela, à ma responsabilité, à ce que cachait de solitude le comportement de ma fille. J'avais été blessée, vexée par les propos du proviseur qui s'en prenait à moi de la mauvaise éducation que je donnais à mon enfant. Il m'accusait à mots couverts d'être moi-même prétentieuse, arrogante. Et je n'avais pu accepter cela. »

Rentrée chez elle, elle avait avec une dureté froide condamné la petite fille, l'isolant davantage.

Hommes de demain, nous oublions si souvent la fragilité des enfants et la vulnérabilité des autres. Nous étions si souvent cruels, je vous l'ai dit.

La petite fille avait paru accepter facilement les

remontrances de sa mère, ne semblant même pas y prendre garde et cette attitude désinvolte était presque provocante.

— Je ne l'ai pas giflée, je ne la frappais jamais, mais j'ai employé des mots de plus en plus durs.

Parfois il vaut mieux donner un coup sur le corps que de tuer l'âme.

Elle avait, disait-elle, crié :

— Reste dans ta chambre, travaille.

Puis les heures, le silence dans la maison.

— Mon mari, commençait-elle, ...

Avait-elle besoin de poursuivre ? Je savais déjà, à ce qu'elle me disait du comportement de sa fille, que ce couple devait être malade. Que l'enfant exprimait par son agressivité et son mépris, son intelligence aussi, les souffrances qu'elle éprouvait à assister à la désunion de ses parents. La mère, au bout d'un très long moment, s'était inquiétée. Elle avait poussé la porte de la chambre de la petite fille. Elle n'était plus là. La fenêtre était ouverte. Elle s'y était précipitée, comprenant tout à coup, et elle avait vu Myriam accrochée à une corniche, au-dessus du vide, au septième étage, les doigts gourds à force de tenir la barre d'appui. Myriam, quand elle eût réussi à la remonter, la regarda d'abord d'un air de défi puis quand sa mère s'effondra en larmes, répétant « pourquoi, pourquoi », elle l'avait serré contre elle, disant « petite maman, petite maman », comme si ç'avait été elle l'adulte et la mère l'enfant.

Hommes de demain, dans notre premier monde nous ne savions rien des enfants. Nous n'avions pas encore compris qu'ils sont comme des fleurs qui s'ouvrent dans la chaleur de la tendresse, qu'ils sont des sismographes en des chambres d'échos qui répercutent les moindres secousses qui inquiètent les adultes.

Nous ne connaissions rien de l'intuition des enfants, de leur instinct qui les fait deviner, refuser d'aller même quand on les y force vers ceux des adultes dont ils ont perçu l'égoïsme. Pour eux, un homme ou une femme c'est une porte ouverte ou fermés, l'une accueillante l'autre hostile. J'ai observé souvent mes enfants quand un visiteur s'avançait vers eux. Je guettais leurs réactions, leur enthousiasme, leur élan ou leur prudence, leur sourire ou leur indifférence. Et je savais qu'ils me donnaient ainsi, sans le vouloir, une indication précieuse et que jamais — je dis bien *jamais*, Hommes de demain — l'expérience que j'eus par la suite de ces visiteurs ne démentit

Tels étaient les enfants et j'espère, Hommes de demain, que vous aurez décelé ce génie en eux et que vous ne l'aurez pas étouffé, comme trop souvent nous le fîmes

Nous étions en effet orgueilleux de notre âge et de notre pouvoir d'adultes et de parents. Nous n'étions pas à l'écoute. Nous ne protégions pas cette flamme enfantine de nos paumes et nous l'abandonnions aux coups de vent, comme si elle n'avait pas pu s'éteindre.

Nous voulions, même sans en avoir conscience, les rendre semblables à ce que nous étions. Notre éducation était un dressage où ils devaient apprendre non seulement nos gestes et nos mœurs, mais aussi nos façons de penser et d'être. Et quand nous étions déchirés par nos haines aveugles nous les obligions à les adopter, à souffrir par elles.

Comment, après cela, certains d'entre eux, les plus sensibles, n'auraient-ils pas été blessés, si profondément, jusqu'à en avoir envie de mourir ?

La mère, une première fois, avait sauvé sa fille Leurs mains s'étaient accrochées l'une à l'autre. Elle l'avait arrachée au vide et durant plusieurs semaines elle avait eu pour Myriam une attention inquiète, restant sur le qui-vive comme il se doit quand on craint pour ce que l'on possède de plus précieux. Puis la vie l'avait à nouveau détournée, rendue distraite, considérant que tout allait bien

Savez-vous ce qu'était la vie, Hommes de demain, dans notre temps du premier monde ?

Nous tentions tous d'user de notre liberté, nous voulions être nous-mêmes, mais nous devions nous adapter à un monde dur.

Souvenez-vous de ma guerre, de son cortège d'horreurs, de toutes ces injustices, ces inégalités craintes qui nous opprimaient.

Dans notre premier monde des hommes et des femmes qui désiraient travailler, en avaient la volonté, la compétence et la force étaient rejetés sur les rives, comme des troncs morts : chômeurs, inactifs, voués au désespoir, et dans la plupart des régions du monde, à la misère.

Ici et là la solidarité des autres leur apportait un soutien. On offrait dans les rues des grandes villes des écuelles de soupe chaude. On accueillait dans des asiles les sans-logis. Ailleurs, là où étaient plus de richesse et d'humanité on distribuait de l'aide, une assistance financière. On voulait que les hommes et les femmes démunis ne meurent ni de faim ni de froid.

Dans d'autres pays — les plus nombreux — s'abattaient sur des millions d'hommes et de femmes non seulement le dénuement mais aussi l'oppression.

Ceux qui tentaient de s'associer les uns aux autres pour défendre leurs droits — dans mon pays natal, cette Pologne toujours souffrante — étaient pourchassés. Et le beau mot de *Solidarnosc* il fallait le porter au revers de son veston comme, durant la guerre, dans certains pays l'étoile jaune. Et on emprisonnait et on persécutait.

Voilà quelle était notre vie dans le premier monde.

Car je ne voudrais pas, Hommes de demain, que vous vous en teniez quand vous vous demanderez ce que nous étions aux images trop belles des parties les plus développées du monde ou bien, dans les pays heureux, que vous oubliez ces zones sombres de la pauvreté. Il y avait les banlieues de nos villes, les vieillards qu'on abandonnait dans les appartements glacés ou les asiles, les rues où l'on n'osait plus s'aventurer le soir, les queues devant les bureaux d'aide aux chômeurs.

Il y avait les pays de la faim et de la mort. Et partout la peur.

Hommes de demain, quand vous nous jugerez, quand vous penserez à cette mère grande et brune qui ne comprenait pas son enfant et se laissait à nouveau entraîner par la vie, n'oubliez pas ce qu'était pour la plupart d'entre nous cette vie du premier monde.

Jugez-nous sans complaisance mais en gardant en mémoire ce qui nous entourait.

Vous direz : Vous laissiez faire, vous acceptiez, vous saviez. Je vous l'accorde.

Mais la vie passe si vite et le temps manque !

Rentrant chez elle, un soir, cette mère grande et brune ne trouva pas Myriam. Le père était absent. Voyage, comme on dit, prétexte pour s'éloigner, reprendre — c'est ainsi qu'on s'exprime — sa liberté.

La nuit vint. Myriam avait douze ans à peine. Perdue ? Enlevée ? Enfuie ? C'était le retour de l'angoisse, des questions auxquelles on ne peut trouver de réponse. Il fallait téléphoner ici et là, alerter la police, essayer de trouver une piste, lire sur les visages des policiers et des parents des petites amies de Myriam les reproches et si rarement la compréhension. Enfin, l'une de ces petites filles se souvint. Myriam avait plusieurs fois évoqué son désir de partir, d'échapper à la famille et à l'école, afin de rejoindre des villes d'enfants dont elle assurait qu'elles existaient, loin, aux Indes. Il fallut fouiller chacun de ses vêtements, ouvrir les livres et les cahiers afin d'accumuler les indices, découvrir une adresse soulignée, un nom relevé dans un carnet. Reconstituer avec cela un itinéraire, téléphoner et lancer des appels, attendre, attendre.

— Monsieur Gray, vous n'imaginez pas ce que cela signifie, attendre.

Je savais. Mais à quoi bon dire ? Chacun avait son expérience tragique de l'attente. On avait retrouvé Myriam à plus de cinq cents kilomètres, au-delà de la frontière. La mère l'avait rejointe, se précipitant sur les routes à une vitesse folle. Et elle était folle d'angoisse.

Myriam l'avait accueillie sans joie : pas un mouvement vers elle, une passivité et une indifférence qui étaient pires que la hargne. A nouveau les questions : « Pourquoi Myriam, pourquoi ? » Myriam baissait les yeux. Avait-elle besoin de répondre. Son acte — le second signal de détresse qu'elle lançait — n'était-il pas suffisant ? Si les « autres » — parents et amis — ne comprenaient pas, que fallait-il qu'elle fit d'autre pour leur hurler qu'ils n'avaient pu, ceux qui prétendaient l'aimer, lui donner le goût de vivre avec eux, à lui assurer cette quiétude sans laquelle il n'est que tourment, peur et envie de fuite ? Et comme ils ne réussirent pas dans les mois qui suivirent à l'entourer de suffisamment d'amour, elle s'enfuit là où il était impossible de la retrouver, en ce lieu d'absolu qui est silence, la mort choisie comme refuge.

Adieu Myriam.

Adieu enfant que nous n'avons su ni guider ni retenir.

Je pensais à elle, encore, toujours en écoutant Rosalie qui me répétait : « Mille fois j'ai eu envie de mourir. »

Mais elle était heureusement vivante, n'ayant emprunté que des fuites douloureuses, mais qui laissent cependant une issue et qu'on appelle la maladie, la tristesse, la punition de soi par la laideur. Et elle la faisait naître en bourrant son corps de nourriture, en prenant cette attitude sans fierté qui la recroquevillait comme une plante sans vigueur.

— Raconte-toi, lui ai-je dit, explique-toi à toi-même, sors de toi ta colère et ton désespoir, transforme la boue en force, la tristesse en création. Va, va vers les autres, ne sois pas cette vivante morte de solitude. Va.

Hommes de demain, j'ai appris qu'il suffit parfois d'un mot dit pour sauver et d'un mot tu pour condamner.

Je ne sais comment vous vivrez, mais n'hésitez jamais : tendez la main, parlez. Entourez même le passant inconnu d'attention. Hommes de demain, ne désespérez jamais des autres.

4

Je dois aussi dire la joie

J'ai relu comme si j'étais l'un des vôtres, un autre que moi donc, les pages qui précèdent, que j'ai écrites au fil des souvenirs, rythmant ma mémoire par ma réflexion. Ma femme est venue à plusieurs reprises écouter les mots que je murmurais, me demandant de hausser le ton.

Elle s'asseyait en face de moi, la tête un peu penchée, ses yeux fixant sur moi ce regard toujours étonné et candide qui me surprend encore, alors que voilà des années maintenant que nous partageons la vie.

Elle est frêle et forte. Les premiers mois de notre vie commune je craignais qu'elle ne se sente isolée dans notre maison des Barons qui n'est entourée que d'espace et d'horizon. Puis j'ai découvert qu'elle était semblable au lierre, souple et nerveuse comme lui, indestructible, plante de vie, attirée par le ciel.

Elle me faisait un signe pour que j'interrompe

ma lecture, me fixant avec une attention surprise et un peu inquiète. Je l'interrogeais mais elle se dérobait d'abord, exigeait que je reprenne, m'écoutait encore, puis tout à coup elle se levait, m'interpellait avec vigueur. Car elle sait m'affronter, impossible à faire plier quand elle est convaincue de la justesse de sa pensée. J'ai beau alors tenter de la raisonner, crier plus fort qu'elle — et cela se produit parfois, car la vie quotidienne est faite aussi de ces heurts entre les caractères — mais rien n'y fait. Et je découvre, après, qu'elle avait vu juste. Je me range à son avis. Elle a le triomphe modeste. Elle se pend à mon cou. Je me sens moins aguerri qu'elle.

Elle est femme. La sagesse chez elle est fruit de l'intuition. Elle a l'expérience millénaire. L'homme n'est qu'un maladroit pour qui la vie continue d'être mystérieuse, qui oublie les vérités essentielles et se laisse griser par les bruits. Elle, femme, elle sait, d'instinct, parce qu'elle porte la vie. Et par toutes ses fibres elle est liée au monde.

J'étais surpris par sa détermination. Elle avait saisi quelques pages, elle les brandissait contre moi, elle m'accusait de masquer, sous les mots, la joie et la poussée de la vie. Elle me reprochait de m'attarder avec complaisance, goût du désespoir, sur la mort des enfants et le malheur. Elle n'ignorait rien de mes souffrances, elle m'avait souvent, comme on berce, consolé. Mais elle me rappelait que la trame de la vie n'est pas faite que de fils noirs. Sinon pourquoi continuerais-je à vivre ? Pourquoi aurais-je la volonté de transmettre mon expérience, mes réflexions, pourquoi des enfants ?

— Tu écris comme si tu étais fasciné par la tristesse, la misère et le malheur, disait-elle. Je n'aime pas cela, il y a...

Elle était belle ainsi dans sa vigoureuse contestation, les cheveux blonds en bataille, les yeux vifs, la voix changée par la détermination et le poing serré. Nos enfants au bruit de sa voix s'étaient réveillés, descendant lentement l'escalier en se tenant aux barreaux de la rampe, s'immobilisant, nous regardant. L'étonnement transformait leur visage.

— Tu es responsable pour des milliers de personnes, ajouta-t-elle encore. Ne dis que le vrai, mais tout le vrai. Si tu ne montres qu'une face, tu mens, même si tu ne le désires pas. Tu transformes. Dans ces pages — elle les reposait sur la table, devant moi — tu es sombre, comme si le soleil était toujours voilé. Jamais d'aube.

Je la serrai contre moi. Elle était excessive. La vérité tourmentée du monde elle la connaissait, mais elle souffrait de l'entendre dire, elle partageait ma douleur et mon inquiétude si fortement, qu'elle avait peine à m'entendre les exprimer. Je la rassurai, j'appartenais au groupe de ceux qui veulent savoir la nature du mal qui les ronge, non pas pour s'y soumettre, passifs, mais pour mieux le combattre.

Mais il est exact, Hommes de demain, que je dois aussi dire la joie, car elle était présente dans notre premier monde, puisqu'elle est dans l'instinct de vie, inscrite comme une marque indélébile au cœur et que, sans elle, il n'y a ni projet, ni volonté de poursuivre, ni désir d'aller au-delà de soi en donnant la vie.

Hommes de demain, ma femme, parce qu'elle était femme, avait le regard juste, elle me rappelait qu'il faut aussi clamer la joie.

Je dois dire d'abord la joie de l'amour.

Si vous voulez vivre, Hommes de demain, il vous faudra connaître cette sensation de vent au cœur de la poitrine, cette légèreté du corps qui tout à coup, parce que l'autre s'approche de vous, n'est plus qu'élan, poussée et non lourde et pesante présence.

L'amour que nous partagions, même les plus humbles, même les plus démunis. Il pouvait paraître grotesque aux yeux de ceux qui ne l'éprouvaient plus. Il était incompréhensible pour ceux qu'il ne touchait pas. Il était l'un des premiers mystères. Je garde dans ma mémoire cette image que l'on pourrait croire sordide. Un couple que je croisai et que je suivis dans les ruelles d'une vieille ville. Ils sortaient d'une épicerie, se tenant par le bras. Elle, difforme — et Rosalie quand je compare les deux femmes était toute finesse ! Elle, donc, dans une sorte de survêtement rouge vif, si grosse que le tissu en la moulant marquait la disgrâce du corps. Elle tenait à la main une bouteille de vin. Alcoolique ? Peut-être. Le quartier où je la rencontrai était l'un de ceux où se rassemblent les clochards et les pauvres qui n'ont ni toit ni pain. L'asile de nuit n'est pas éloigné, à quelques rues, bâtisse grise dont les fenêtres sont grillagées. Elle était donc laide cette femme et certains en la voyant ainsi, provocante dans ce vêtement agressif, l'eussent condamnée. S'appuyant à elle un homme aux cheveux mi-longs, au visage labouré de rides, aux yeux enfoncés dans les orbites. Un homme un peu chancelant, tenant un filet à provisions à la saignée du bras.

On se retournait sur ce couple étrange et les passants commentaient avec ironie leurs silhouettes. Moi je ne vis que le visage de cette femme, cette tendresse avec laquelle elle regardait son compagnon, la manière dont elle était proche de lui, la grâce — oui la sorte de grâce et même de légèreté dans la démarche — que lui conférait l'amour qu'elle portait à cet homme. Et la paix que je sentais entre eux, la joie de l'homme si perceptible dans la façon dont il tenait sa tête, le menton levé et le regard assuré.

Que cela était fragile ! Que de récifs sur la route de ce navire, un couple de rencontre, que de tempêtes à venir déjà inscrites dans leurs conditions, leur pauvreté et leur alcoolisme.

Je n'avais aucune illusion sur la durée. Mais, Hommes de demain, ils étaient, ces deux-là, pour quelques heures seulement peut-être, sur une île de joie qui ne devait rien à l'alcool. Elle avait surgi de l'océan noir de leur misère comme un jaillissement crevant la surface, les poussant l'un vers l'autre, dans le mystère de la rencontre et la pureté de l'amour.

C'était aussi cela notre vie et notre monde. Le fil blanc dans la trame sombre, l'amour comme un soleil au centre rigide du froid.

Et il y avait aussi la chaleur de la foi.

Elle pouvait prendre divers visages et je ne veux ici privilégier aucun d'entre eux.

Il y avait parmi nous, Hommes de demain, qui nous étudierez, des hommes et des femmes dont le regard était illuminé par la croyance en Dieu. Je ne dirai rien de leur église ou de leur temple. Ils s'y rendaient pour s'y recueillir et prier. Et peu doit vous importer quelles étaient leurs prières et la langue dans laquelle ils les prononçaient. Ils cherchaient et c'est cela qui doit compter, cela qui me paraît essentiel, à atteindre à plus d'humain. Ils regardaient au-delà de la vie, vers un monde plus juste. Ils voulaient que l'homme se conforme à une Loi, inscrite dans le ciel, immuable. Ils refusaient que l'homme soit simplement cette accumulation de muscles et de désirs. Ils voulaient que l'homme ait une âme et ils espéraient qu'un jour elle renaîtrait, quand le corps se serait dissous, blanche comme une aube.

Je ne sais pas ce qu'il en sera pour vous, hommes de demain, de cette foi. Ou de l'autre. Car il était aussi des hommes qui se rassemblaient seulement pour aller au-delà du présent, prévoir et construire l'avenir meilleur. Souvent ils se trompaient. Et parfois les plus déterminés se pervertirent et devinrent, au nom de l'efficacité, des criminels. J'ai connu cela quand, dans l'après-guerre, j'appartenais à des armées qui se voulaient libératrices et devenaient très vite des troupes d'oppression.

Mais cette retombée de la flamme en cendres, de l'eau en boue, de l'élan en contrainte, je ne veux pas trop m'y attarder, puisque c'est de joie d'abord que je veux parler. Ces hommes et ces femmes qui avaient choisi le dévouement et la confiance dans l'avenir étaient le plus souvent des humbles que l'action commune transfigurait. A leur manière ils étaient aussi des croyants qui refusaient de se laisser étouffer par l'égoïsme et par la prudence.

Ils aimaient. Ils agissaient. Je les respectais même si, plus tard, quand je découvris les périls que contenait leur action je les combattis.

Donc, souvenez-vous, Hommes de demain, dans notre monde il existait des « hommes-germes » pour qui l'humanité n'était pas seulement un mot.

Des hommes qui se voulaient solidaires, dévoués et bâtisseurs.

Des hommes que j'appellerai JUSTES, ou qui tentaient de le devenir, donnant leur temps, sacrifiant leur quiétude et parfois leur vie.

Si le monde dans lequel vous vivrez n'est pas devenu seulement un grand camp de concentration clôturé où les hommes sont comme des animaux pour le travail et l'abattoir, c'est aux hommes-germes, aux hommes de foi que vous le devrez.

Hommes de demain, soyez des hommes de croyance et des hommes de foi.

Je me souviens de l'une de mes joies les plus pures.

Il faisait froid. J'étais à Venise. J'aimais cette ville qui ressemblait à un beau visage sculpté par les années, menacé par la vieillesse et l'agonie mais dont la noblesse disait la grande et superbe histoire, la puissante vie.

J'aimais que des hommes aient construit cette ville qui semblait folle, maîtrisant les vagues, élevant sur le fond vaseux et mouvant ces palais orgueilleux, affirmant la grandeur indestructible de l'homme quand il veut et quand il croit.

Je n'ignorais rien de la violence qu'avait déployée cette Sérénissime République pour contrôler la mer, faire plier ses ennemis et assassiner ses concurrents. Mais restait la foi en l'avenir inscrite dans la beauté des pierres.

Un matin, la veille de mon départ, je décidai sur le conseil d'un ami de me rendre dans l'île de San Giorgio, qui fait face à la place San Marco. Le ciel était d'une transparence inhabituelle et les contours de chaque palais, les rives se découpaient avec une netteté de gravure. Le panorama du haut du clocher de la basilique de San Giorgio était, m'avait-on dit, extraordinaire.

Nous n'étions que quatre ou cinq personnes à descendre du bateau à l'arrêt de l'île. La plupart étaient de vieilles gens qui semblaient pressés et se dirigeaient vers la basilique. Je les suivis pensant qu'ils me conduiraient au clocher mais ils s'engouffrèrent dans un escalier en colimaçon, étroit et taillé dans la pierre. J'hésitai un moment quand un moine, petit et vif, chauve, surgit derrière moi. Il ressemblait à un personnage de conte de fées ou bien à l'une de ces silhouettes que l'on voit dans les dessins animés. Sa tête était ronde, ridée mais souriante, ses mains virevoltaient devant lui. Il me parla d'abord en italien, puis devinant que je ne comprenais pas il s'adressa à moi en français, en anglais et en allemand, mélangeant les mots. La messe allait commencer, disait-il, et je devais me dépêcher si je voulais entendre les chœurs.

Je poussai donc moi aussi la petite porte de bois et me trouvai dans une chapelle. Sur des travées des moines étaient assis. Un prêtre officiait. Les visiteurs que j'avais suivis s'étaient rassemblés au fond et certains étaient déjà en prières, agenouillés. Je me joignis à ces croyants qui, les yeux mi-clos, se recueillaient.

Puis le chant s'éleva.

Les moines chantaient. Leurs voix venaient du fond de l'histoire et emplissaient le chœur. Nous n'étions que quelques-uns et pourtant j'avais le sentiment que nous constituions une foule innombrable, que nous partagions, avec tous ceux qui avaient au cours des temps célébré le même rituel grégorien, la même foi.

Je n'appartenais pas à cette croyance. J'étais juif. Fier d'être l'un de ce peuple longtemps martyr. Et j'avais vu les miens, les miens par millions, mourir de leur identité. J'étais juif depuis l'origine du monde et je le resterai jusqu'au bout de ma vie. Mais je me sentais, dans cette chapelle envahie par les voix fortes des croyants, enveloppé par une foi que je pouvais aussi faire mienne et qui m'accueillait en son sein. Elle me donnait, en ce dimanche d'hiver, une joie complète, presque une joie du corps.

J'étais avec des hommes et des femmes dont le souci était d'établir la chaîne humaine depuis les temps anciens jusqu'au futur, dont la conviction affirmait que l'homme ne se limitait pas à une série de réflexes ou de désirs, mais qu'il était un mystère, qu'il cherchait à échapper aux frontières du corps, parce qu'en lui, sa chair était aussi conscience.

Je murmurais non pas les prières catholiques que je connaissais pourtant pour les avoir jadis, quand il me fallait échapper à la persécution, apprises afin de donner le change, mais les noms des miens disparus, ma mère et mon père, mes frères, mes enfants, ma femme. Je retrouvais les visages des compagnons de souffrance, ceux des camps, je les nommais. Je les faisais entrer ici, dans cette chapelle, au milieu du chœur. J'éprouvais la fraternité confiante. J'étais heureux sous cette voûte séculaire où s'amplifiait l'écho des paroles sacrées.

J'éprouvais la joie de rencontrer des hommes et des femmes. J'étais heureux.

Hommes de demain, soyez hommes de croyance, soyez hommes de foi. Je souhaite qu'il existe en votre monde que nous ne connaîtrons pas des églises et des temples, des lieux sacrés où l'homme essaiera de dire l'avenir de l'homme et célébrera son mystère. Car cela donne à chaque être le sentiment d'être une parcelle consciente de la Vie, un élément actif du monde. L'homme de foi est ouvert sur le mystère et la grandeur. Croire c'est partager.

Dans notre premier monde, hommes de demain, il existait ainsi des îlots de fraternité où se mêlaient, dans la prière et le chant, les voix différentes, comme les épis d'une gerbe.

J'écris cela sans ignorer — et vous seriez en droit de me le rappeler, Hommes de demain —

que des hommes de foi, des croyants exemplaires sont devenus des criminels. Ils sont, dans notre premier monde, sortis des églises, des temples ou des mosquées pour égorger, violer, brûler. Puis les mains encore rouges, les épées à peine rentrées dans leur fourreau ils sont allés s'agenouiller devant les autels ou s'incliner rituellement dans la direction de leur foi.

Je sais cela qui donne à penser.

Et souvent, durant la guerre, quand j'étais confronté à cette cruauté d'hommes et de femmes que j'avais entendus prier, je maudissais l'hypocrisie de leur conduite et je rejetais leur croyance et leur église.

Hommes de demain, j'ai vécu cela, la foi détournée de son cours, comme un fleuve qu'on barre, une région qu'on assèche. La fraternité proclamée, je l'ai vue se transformer en haine et en fanatisme.

Comment ne pas me souvenir de ce village caché dans les forêts et dont j'aperçus d'abord le clocher de l'église ?

Je marchais vers lui après m'être enfui. J'avais faim et froid comme tous les pourchassés, mais j'avais aussi besoin d'une main qui se tend, d'une voix qui me console et d'une oreille qui écoute ma plainte.

Je suis entré dans l'église, je me suis dirigé vers l'autel. Un paysan, peut-être l'homme qui aidait le prêtre, a surgi de la sacristie, les yeux furibonds, le visage mauvais des chiens de garde, le poing déjà levé pour frapper.

— Tu n'es pas d'ici.

Ce furent les premiers mots qu'il prononça et non ces phrases d'accueil que j'espérais. Il détaillait chacune des pièces de mes vêtements en loques. Il avait le regard aigu de ceux qui traquent le gibier. Il savait reconnaître l'origine des hommes. Il flairait en moi un évadé. Et il savait que l'on offrait cinq kilos de sucre à ceux qui dénonçaient les fuyards. Il vint vers moi et en passant devant l'autel il s'inclina et se signa.

Quel était pour lui le sens de ces symboles chargés d'humanité, qui sont rappels de la souffrance d'un homme mort crucifié et dont à travers le temps on célébrait sans trêve la mémoire et la douleur ?

Il venait vers moi, après avoir répété ce qui n'était pour lui que des gestes, avec l'intention de se saisir de moi, de me livrer aux bourreaux et dans sa tête et son cœur il n'existait aucun passage entre sa foi, chargée d'humanité, et son comportement impitoyable.

Un barrage avait été dressé par l'histoire des hommes entre ces deux parties de son être et de sa pensée.

Je m'enfuis donc pourchassé par cet homme qui essayait de rassembler la meute des villageois derrière moi.

Mais j'étais jeune, je voulais vivre, les bois et les fossés m'ouvraient leurs bras et leurs lits. Je savais me diriger mieux qu'un sanglier ou un renard entre les arbres. Et j'avais appris à effacer mes traces.

On ne me reprit pas.

Et c'était aussi, Hommes de demain, une joie folle, comme une eau fraîche après la grande soif, que d'être libre, sans entrave, vivant, que d'avoir pu et su échapper aux animaux à visages d'homme, que de marcher seul dans la forêt et de suivre entre les cimes des arbres le lent cheminement des nuages.

Cette joie que j'éprouvais était fusion de l'âme et du corps, de l'espoir et de la chair, inséparables.

Il faut que vous sachiez cela aussi, Hommes de demain, la joie que nous connaissions comme la plus complète ne se divisait pas. Elle était dans la marche, ce mouvement libre des muscles et du sang. Elle était dans l'effort physique, dans la sensation que comme une mystérieuse horlogerie chaque élément du corps répondait quand on exigeait de lui un acte.

Je n'ai pris conscience de cela qu'après mon arrivée aux États-Unis quand j'ai senti tout à coup que mon corps s'enfermait dans une épaisse enveloppe lourde et encombrante, que je m'ankylosais et que l'esprit, de ce fait, perdait cette mobilité que j'aimais.

Il n'y a, je l'ai dit, pas de séparation entre l'âme et le corps mais entrelacement.

Je m'employai donc à retrouver ma vigueur, en m'éprouvant. Et ma joie fut grande, neuve comme si mon esprit échappait à la gangue.

Hommes de demain, connaîtrez-vous cette joie que certains d'entre nous avions entrevue ? Saurez-vous agir pour que, dès l'enfance, s'harmonisent la vie de l'âme et celle du corps ? Saurez-vous reconnaître dans les rythmes que les religions imposaient depuis l'origine de l'homme à leurs adeptes une discipline salutaire, l'épuration régulière du trop ?

J'aimerais que vous sachiez combien il était exaltant de vivre cette harmonie et ce contrôle de soi, combien le corps et l'âme s'en trouvaient affinés et grandis.

J'avais essayé de communiquer cette conviction à mes enfants, sans la leur imposer, simplement en leur faisant comprendre qu'ils devaient être respectueux de cette richesse du corps et ne la pas gaspiller en cédant à de trop faciles plaisirs.

Je leur avais appris les joies du don et du refus, peut-être l'une et l'autre parmi les plus grandes.

Hommes de demain, j'espère que vous les aurez découvertes, que vous en aurez fait l'axe de la vie commune.

Mes enfants savaient donc refuser les illusions avec lesquelles on maquille la vie parce qu'on n'a pas l'audace de rechercher les véritables joies qui sont exigeantes et profondes.

Ils avaient éprouvé la joie qui naît du contrôle de soi par soi. Je tentais de leur apprendre la réflexion et la méditation, la volonté et l'enthousiasme, je voulais qu'ils renoncent à l'avidité.

Je me souviens de ma rencontre avec l'institutrice, une femme d'une cinquantaine d'années aux yeux rieurs dans un visage jeune dont la peau était parsemée de taches de rousseur.

Elle s'était arrêtée devant notre propriété sans intention autre que de voir où vivaient mes enfants. Je la vis un peu hésitante qui s'apprêtait à repartir et je la reconnus, allant vers elle. Elle s'excusait. Elle n'avait rien à me dire, sinon que tout allait bien, que mes enfants étaient attentifs et joyeux, qu'il était tant de leurs camarades qui portaient déjà les marques de la tristesse, une sorte d'ennui ou bien qui manifestaient de l'agressivité, qu'elle en était heureuse, pour eux, pour moi et mon épouse.

— Mais vous avez tout cela, me dit-elle en montrant l'espace qui s'ouvrait devant notre maison. C'est plus facile quand on possède...

Elle montrait à nouveau la pelouse, les arbres fruitiers, la mare où s'ébattaient les canards.

L'aisance et le confort, l'abondance aidaient il

est vrai, et parfois de manière décisive, l'éducation des enfants. Je ne le niais pas.

Et je voudrais, Hommes de demain, que dans votre monde chacun bénéficie des mêmes chances.

Je ne parle pas de l'égalité. Chacun de nous est différent. De même quil y a des blonds et des bruns, certains ont l'esprit agile et d'autres préfèrent la rêverie. Pourtant dans le puzzle du monde un homme et une femme devraient toujours trouver leur place. Mais dire que chacun de nous est autre, qu'aucun visage n'est identique, aucun esprit semblable, que la richesse et la diversité sont infinies, qu'ainsi l'égalité si elle veut annuler les différences n'est que nivellement, ce n'est pas admettre que l'un écrase l'autre.

Je veux l'égalité des chances et non des êtres.

J'espère, Hommes de demain, que vous aurez su placer en chaque lieu une ligne de départ sur laquelle viendront se préparer les coureurs au début de leur vie. Ils auront eu les mêmes entraîneurs, le même temps de préparation, le même régime. Le départ sera donné et que le meilleur gagne. Et peut-être n'y aura-t-il ni premier ni dernier, seulement des coureurs, s'élançant sur la piste, parce que la vie est un parcours.

— Pour eux tout est plus simple, me répétait l'institutrice. Mais cependant, ajoutait-elle, comment faites-vous ? Ils sont simples et calmes. Ils savent donner. Ils sont joyeux. J'avais appris à mes enfants quelques principes. Je ne crois qu'à l'exemple. Ils m'avaient vu rejeter le vin et le tabac, la colère et la viande. J'établissais volontairement un lien entre l'aliment consommé et le comportement.

Ils préféraient le fruit aux friandises. J'avais expliqué que le suc est meilleur que tous les sirops, la pulpe que toutes les gourmandises. Je ne les avais pas dès la naissance plongés dans cet univers exagéré de la gourmandise et du plaisir.

Ils mangeaient et buvaient seulement quand ils avaient faim et soif. Ils préféraient l'eau et le jus de fruit à ces préparations industrielles qu'on offrait aux enfants. Ils comprenaient pourquoi entre une pomme ou une pêche et le produit fabriqué, enrobé de sucre laqué, il fallait choisir l'enfant de l'arbre, le porteur de vie.

— Ils sont fiers, me disait l'institutrice.

J'aimais leur fierté. Je les avais vus malgré l'insistance de leurs camarades repousser telle ou telle douceur qu'on leur offrait. Ils n'étaient pas tentés. Ils éprouvaient la joie de ceux qui savent et se détourner pour trouver en eux-mêmes le plaisir plus fort de l'esprit.

L'institutrice craignait qu'ils ne se séparent des autres, qu'ils ne s'enferment dans leur orgueil et jugent les autres enfants inférieurs. Eux constituant l'élite, les autres, une foule sans raison.

Je n'aurais pas été joyeux, orgueilleux de mes enfants s'ils s'étaient ainsi comportés. Et je leur avais appris l'humilité et la joie du don.

Hommes de demain, respectez la différence et l'égalité des chances, exaltez la joie du refus mais enseignez aussi la modestie et la générosité.

Je n'ai posé à l'institutrice qu'une seule question.

— Sont-ils égoïstes ? Elle secoua la tête en haussant les épaules, son visage sévère et réprobateur, comme si j'avais par cette interrogation unique commis un sacrilège.

— Vos enfants, égoïstes ? répéta-t-elle.

Ils donnaient, la joie dessinant sur leur visage un sourire de bonheur.

Dans notre premier monde, certains d'entre nous savaient éprouver cette joie, la plus douce, la plus complète, celle du don.

Si je l'avais transmise à mes enfants — et si vous l'avez préservée parmi vous, Hommes de demain — alors je n'ai pas perdu ma vie.

A Rome, un jour, parce que je voulais tenter de rassembler des hommes et des femmes exemplaires qui eussent constitué un « Conseil des sages du monde » donnant son avis aux Puissants qui gouvernent ou croient diriger les choses alors qu'ils se laissent conduire par elles, un jour donc, j'ai rencontré Mère Teresa.

Elle était devant moi, petite, rabougrie, comme tassée, cette femme qui faisait le bien au milieu des populations les plus pauvres, recueillant les malades et les mourants, les enfants. Je lui parlais de mon projet mais elle était trop humble pour accepter ainsi de paraître vouloir conseiller les autres. Elle dit : « Je ne suis qu'une femme qui écoute la voix de Dieu. Je ne suis qu'une femme qui tente avec ses seules mains de soutenir ceux qui ne peuvent plus marcher. Je donne à boire. Je partage le pain. Je ne fais rien qu'une autre ne pourrait faire. Je ne suis pas une femme exceptionnelle. J'essaie de suivre le chemin tracé par Dieu. Je donne ce que je peux. » Ces mots que je répète ici, sont-ils exactement ceux qu'elle a prononcés ? C'est ce que j'ai retenu.

Mais peu importent les phrases. Je voyais ses yeux et son visage. Elle avait le teint mat et des rides nombreuses creusaient ses joues et son front. On eût pu, si elle avait fermé les yeux, imaginer qu'elle était une vieille femme, une paysanne lasse. Mais il y avait le regard de Mère Teresa, cette lumière dans les yeux, cette douceur qui vous enveloppait et vous calmait, cette communion qui s'établissait, au-delà des mots, quand elle vous fixait attentive, et, surtout, la joie du don qui rayonnait d'elle, vous réchauffait.

— Je donne ce que je peux, avait-elle dit.

Elle donnait tout ce qu'elle possédait, son intelligence, sa passion et son énergie. Elle s'était tout entière plongée dans la foule la plus misérable et la plus exposée.

Au lieu de s'y noyer elle en ressurgissait neuve

et forte, illuminée, le regard chargé de tendresse et de résolution.

Hommes de demain, en fouillant dans nos archives ne vous arrêtez pas seulement aux animaux à visage d'hommes dont je parle souvent.

Tournez ces pages où s'accumulent les crimes et les souffrances, les deuils et les ruines, celles où s'entassent les armes acérées de la destruction.

Allez jusqu'à ce que vous rencontriez mère Teresa.

Elle était de notre premier monde cette femme-promesse, cette femme-germe, cette femme-tendresse.

Elle était la preuve de la joie par le don et le sacrifice, par l'humilité et la générosité.

Elle témoigne pour nous, n'est-il pas vrai ?

NOUS : moi, vous, nous les hommes et les femmes. S'il y a une mère Teresa, une seule, pourquoi désespérer de l'humanité ? Pourquoi ?

Elle est visage d'avenir, elle est votre avenir à vous, Hommes de demain, si vous le voulez.

Elle est visage de joie.

Et il fallait aussi dire cette joie, même si autour d'elle, comme une mer furieuse, battait la guerre.

5

La compassion et l'amour

Plus tard, je revis Mère Teresa. Elle arrivait au Liban, parce que la guerre y avait tracé ses sillons bruns, que des enfants y avaient été mutilés, que la mort sur ces vieilles terres où les religions s'étaient croisées avait étendu son ombre. La caméra de télévision la suivait, se mêlant aux orphelins, se penchant sur les blessés, et je me souvenais tout à coup de cette phrase que je l'avais entendue prononcer au cours d'une émission, à la télévision encore. Un homme politique parlait avec cette assurance qu'ils ont tous, comme s'ils possédaient, et eux seuls, le mystère des choses alors qu'ils n'en connaissent souvent que les apparences. Ce sont gens d'écorce avant que gens de cœur. J'écoutais celui-ci parler de la misère d'une grande partie du monde. Ce qu'il disait était vrai mais cependant, dans sa voix, dans ses gestes, je ne sentais rien, que des mots appuyés d'un mouvement de la main et qui demeuraient comme du bruit, poussière qui s'en allait retomber.

A la fin il s'interrompit, comme s'il se rendait lui-même compte que le silence de Mère Teresa, assise à côté de lui, sur le plateau de télévision, était plus parlant que toutes les phrases qu'il prononçait. Il se tourna vers elle, l'interrogeant du regard : elle avait la tête penchée, les yeux mi-clos, elle paraissait méditer et ne pas se rendre compte qu'on attendait qu'elle parlât. Puis elle redressa la tête et lentement, d'une voix grave, elle ne dit que deux mots : « la compassion et l'amour ».

Je pensais à ces deux mots, Hommes de demain, en suivant Mère Teresa parmi les ruines de Beyrouth, dans ces camps de réfugiés où des enfants, des hommes et des femmes, des blessés avaient été massacrés.

Hommes de demain, je voudrais que vous partagiez ma haine de la guerre et de cette violence bestiale qui avait saccagé tant de vies dans notre premier monde. Et je voudrais que vous sachiez aussi combien cette guerre-là, celle qui se livra sur les terres sacrées d'Israël, dans ce triangle mystique que bordaient la Méditerranée et la mer Rouge, cette guerre dans ces terres des premiers Livres et des grands textes humains, elle était au cœur de moi, comme un battement douloureux qui ne cessait jamais.

Il faut que je vous fasse partager, à vous qui

peut-être n'aurez pour comprendre que les écrits et les images, les mots qu'on employa cet été-là pour parler de ce conflit auquel mon peuple, celui d'Israël, était mêlé.

A l'origine de tout, qu'on le sache, il y a la persécution et l'obstination de la vie. On nous a chassés, on nous a meurtris, on nous a massacrés.

Nous avons été, depuis qu'il y a une histoire, les victimes du racisme, parce que nous voulions rester debout, avec notre visage et notre loi, avec notre Torah, nos chants, notre langue et nos temples, et nos costumes, et les plats que depuis les premiers temps se transmettaient nos mères. Les hommes du premier monde n'aimaient pas ceux qui étaient différents, ceux qui avaient l'orgueil d'être un peuple et ceux que rien ne faisait plier.

Alors nous devînmes les victimes, ceux qu'on désignait à la colère des foules, qu'on enfermait dans des ghettos, qu'on lapidait et qu'on forçait à s'agenouiller. Nous devînmes les coupables. On dit de nous que nous avions crucifié le Christ. On nous accusa d'égorger les enfants, de boire leur sang, nous pour qui la naissance est l'acte sacré. On nous peignit comme des voleurs et des usuriers.

J'ai vécu cela. Je dois vous le redire.

J'ai vu dans une ville qui était une capitale de la culture européenne, dans un pays de grande foi et de pèlerinages, dans une contrée où se dressent les sanctuaires, les statues de la Vierge, où les églises, et surtout au cœur de la tourmente, ne désemplissent jamais, j'ai vu, dans ma Pologne natale et dans Varsovie, les hommes laisser enfermer derrière des murs de briques des centaines de milliers de femmes, d'enfants, d'hommes, simplement parce qu'ils étaient juifs.

Pour quelques gestes d'amitié, des manifestations de solidarité (et le futur pape Jean-Paul II fut l'un de ceux pour qui le persécuté est toujours un frère), que d'actes de lâcheté, que de vindictes assouvies. j'ai compris alors ce que cela signifiait que d'être juif, livré aux rapaces.

Et qu'on le sache, je vis jeter vivants, parfois, des nouveau-nés aux animaux.

Horreurs, Hommes de demain, dont nous fûmes les victimes et les témoins, en qui s'est gravé dans notre mémoire un sillon toujours ouvert.

Je vous dis cela sans amertume, car un seul geste peut tout racheter.

Souvenez-vous, découvrez dans vos archives ces images qui montrent le pape Jean-Paul II célébrant la messe à Auschwitz et rappelant la mémoire de ce prêtre qui mourut, dans ce camp, à la place d'un juif et comme un juif.

Voilà qui compte autant que tous les crimes. Un homme prend en charge le malheur d'autres hommes auquel il pourrait échapper. Un homme sacrifie sa vie. Souvenez-vous de lui, parce qu'avec lui s'avancent toutes les victimes innocentes, qu'il prend en charge et au nom desquelles il agit. Je veux, Hommes de demain, que vous éleviez un monument de souvenirs, un grand signe de mémoire pour cet homme-là, ce prêtre, qui mourut au nom de tous les miens.

Mais les miens par millions étaient morts et souvent entourés par le silence et la haine des témoins. Ces citadins qui s'agglutinaient devant le mur pour regarder agoniser le ghetto de Varsovie, ces paysans qui, je l'ai dit, nous livraient, ces persécuteurs aux uniformes noirs qui nous poussaient dans les wagons en partance pour la mort.

Certains, et je fus l'un d'eux, les plus jeunes de mon peuple, combattirent et ce fut en 1943, un mois d'avril, l'insurrection inoubliable, il y a quarante ans, du ghetto de Varsovie.

Ces hommes-là, ma mémoire et ma dignité vives, à jamais l'honneur sauvé, ces enfants — car nous étions à peine issus de l'enfance : ô jeune fille qui sauta une grenade entre ses seins sur un tank — ceux qui en réchappèrent, comment n'auraient-ils pas comme préoccupation essentielle de mettre leur peuple à l'abri des crimes à venir ?

Comment pourraient-ils accepter, eux qui ont vu, qui ont suivi dans les rues de l'enfer leurs mères et leurs frères, leurs sœurs, cohorte malheureuse et désarmée, comment auraient-ils pu ne pas vouloir protéger les survivants, le peuple juif, derrière les frontières et les murailles d'un État qui serait le leur ?

L'État d'Israël est le fruit de cette dure et tragique leçon que j'ai vécue. Il est né de la persécution subie à travers les siècles et devenue la plus barbare en ce XXe qui se prétendait la plus avancée des époques.

Il est né aussi de notre obstination. Car nous sommes un peuple obstiné. Sur les murs que les terroristes percent de leurs balles, nous écrivons : « La vie continue, la vie aura raison. » Car croyez-vous que la haine contre nous ait disparu ?

Hommes de demain, le sang des martyrs avait à peine séché, qu'on nous mettait à nouveau en quarantaine sur les bateaux de l'exode, qu'on laissait les quelques milliers de survivants mourir devant les rivages blancs de cette contrée qui fut nôtre et où nous devions prendre pied, semer et bâtir.

Nous le fîmes.

Grain après grain nous avons retourné le sable et l'avons transformé en terre arable grasse et généreuse. On jetait sur nous l'insulte et la grenade, on continuait de nous refouler vers des zones étroites, des enclos pour nous y laisser étouffer. Mais nous avions la volonté gravée au cœur. Nous étions les fils de la persécution et de la foi : nous avons construit Israël, notre refuge et notre temple.

Hommes de demain, arrêtez-vous un instant sur notre destin, regardez l'histoire, pensez à ce périple, à cette marche à travers les millénaires et le malheur, à cette longue traînée de souffrance qui nous accompagne, à cette dispersion de nos familles, à cette longue errance.

Imaginez les ghettos et les insultes, les pierres lancées contre nous et les chevaux des cosaques qui nous bousculent, écoutez la voix de ceux qui hurlent : « A bas les juifs ! », devinez le murmure de ceux qui chuchotent : « Renoncez à votre foi, devenez semblables aux autres, disparaissez dans la mer des autres peuples, oubliez vos origines. » Et, Hommes de demain, voici que nous avons retrouvé le sable blanc de notre terre, voici que nous nous sommes rassemblés, que l'errance a pris fin, que les millénaires se sont anéantis, que nous sommes là, à nouveau sur la terre fière de nos citadelles d'avant, quand nous nous battions à Massadah.

N'est-il pas là, Hommes de demain, une raison de croire au destin extraordinaire de l'homme, à la puissance de sa volonté quand il croit, quand il reste fidèle ? N'allez pas seulement penser que je dis cela parce que Juif. Nous sommes hommes et je vois dans la longue obstination juive, dans ce retour à soi, dans cette fidélité enfin récompensée, dans cette traversée de tant et tant de « mer Rouge », d'abord une image de l'homme.

Mais rien n'est jamais fini.

Ils sont encore autour de nous ceux qui nous haïssent, qui tentent une nouvelle fois de nous marquer, afin qu'on pense à nouveau que nous sommes des coupables, ces boucs émissaires que l'on désigne comme les responsables des malheurs.

Quand je séjournais à Paris, je me rendais souvent rue des Rosiers, dans le quartier où se sont rassemblées des familles juives. J'achetais pour des amis le saumon et le pain azime, je déjeunais chez Goldenberg, un restaurant à l'angle de deux rues. Un jour des tueurs sont venus et ils ont abattu en quelques rafales clients et serveurs. Mes enfants et ma femme auraient pu être assis à l'une des tables. Le sang a rougi le sol. Les tueurs calmement ont disparu, laissant la souffrance. Ils avaient agi de même aux Jeux Olympiques de Munich, puis contre des synagogues et des bus chargés d'enfants.

Hommes de demain, faites l'inventaire de nos morts et vous saurez qu'après les grandes fosses de l'holocauste il a encore fallu que nous creusions des tombes pour les nôtres.

Mais nous sommes obstinés à vivre et nous avons décidé de nous défendre.

Mètre après mètre nous avons conquis le désert,

transformé les pierres en mottes, fait naître les fruits et les fleurs sur le sol caillouteux que balayaient les vents.

Je suis allé dans les kibboutz. J'ai dans la mémoire le visage de cette jeune femme aux traits réguliers dont les tresses se nouaient sur les oreilles en macarons roux. Elle avait les pommettes saillantes, les lèvres épaisses et claires, les yeux très bleus dans un visage parsemé de taches de rousseur. Quel âge pouvait-elle avoir ? Vingt-cinq ou trente ? Sa silhouette était juvénile et cependant la gravité inondait son regard d'une mélancolie qui m'intriguait.

Elle paraissait être la mère de ces deux jeunes enfants très différents d'elle, tous deux bruns, les cheveux crépus, le teint mat, les yeux brillants et sombres. Je lui posais des questions de plus en plus précises, mais elle se dérobait et à la fin, haussant les épaules d'un mouvement chargé de colère, elle dit d'une voix sourde : « Je n'aime pas les interrogatoires, ici on est libre, si tu ne sais pas ce que c'est que la liberté, apprends qu'elle est d'abord le respect du silence de l'autre. »

Je reçus cette phrase comme une gifle méritée, je m'éloignai cependant que prenant ses deux enfants contre elle, elle s'accroupissait, et commençait à lire avec eux, la voix redevenue claire comme une eau de source.

Hommes de demain, que de mystères dans la vie d'une femme d'Israël, que de tourments et de volonté de vivre, que de beauté et de résolution dans son regard parfois fendu par un éclair de désespoir.

Hommes de demain, souvenez-vous de ces femmes, de nos femmes des frontières qui continuaient à enfanter, à semer, à enseigner, à aimer sous les éclats de bombe.

Elle se nommait Leila, la jeune femme aux cheveux roux accompagnée des deux enfants bruns et je voudrais aussi que vous gardiez vivante son histoire.

Un homme du kibboutz, Itzchak Zuckerman, un ancien de Varsovie, l'un de ces survivants indestructibles qui portaient sur leur visage en mille rides les sillons de leur mémoire me l'a racontée. Nous nous étions vite reconnus lui et moi. Nous avions la même expérience cruelle, les colonnes de nos femmes, d'enfants et de vieillards marchant vers la mort, les hurlements des gardiens, les ruines du ghetto où nous avions, lui et moi, combattu et survécu.

Il m'avait pris par le bras. Il était plus grand et plus vieux que moi, sans doute plus sage.

— Comprends Leila, me disait-il.

Elle était agressive avec moi, m'expliquait-il, parce que j'avais choisi, après la guerre, de m'installer aux États-Unis où vivait ma grand-mère, le dernier rameau vivant de ma famille. Puis je m'étais marié et mes enfants étaient nés et l'existence m'avait enraciné hors d'Israël. Mais Leila, insistait Itzchak, me le reprochait, comme bien d'autres jeunes Juifs pour qui Israël est la seule patrie possible. Elle manque de fils. Que font les Juifs loin de ses frontières ?

Je comprenais Leila et ceux qui comme elle voulaient que se rassemblent sur la terre d'Israël tous les bourgeons du peuple juif.

Je ne crois pas que ce soit possible, ou pas encore possible. Il ne faut pas avoir une vision unique de la vie d'Israël. Je participe à cette vie loin de notre terre. Je suis un lien entre le monde et Israël, et des millions d'autres comme moi. Nous faisons d'Israël un camp ouvert sur les autres. Nous sommes aussi ses éclaireurs et ses avocats.

— Et puis Leila, reprenait Itzchak...

Nous marchions, épaule contre épaule, sur une terre presque blanche tant le soleil la brûlait. Entre les pierres pourtant les pousses courtes mais vigoureuses des semailles, et au pied des arbres trapus la tache ocre que fait l'eau quand elle imbibe la terre.

Itzchak s'arrêtait.

— Tu vois ce que nous avons fait, disait-il.

Il s'agenouillait pour écarter les feuilles, me montrer les melons, ces boules vertes et gonflées de suc sur la terre aride. Il caressait les citrons et les oranges, il m'entraînait entre les arbres. Il parlait des trente années de travail courbé sur les sillons qu'avait exigées cette terre, pour donner enfin ces fruits.

— Nous ramassions les pierres l'une après l'autre, murmurait-il, nous creusions les rigoles agenouillés sur le sol, avec nos mains nues et quand l'eau est arrivée jusqu'ici, elle était salée. Il a fallu tout reprendre.

Hommes de demain, pour nous comprendre et pour juger, pensez à ce travail, à cette volonté, à cette terre que nous avons fait renaître avec nos mains et notre sueur. Pensez à Leila.

Sa mère était arrivée en Israël parmi les premières rescapées des camps. Elle était de ces femmes qui avaient vu mourir autour d'elles tous ceux qu'elles aimaient. Je n'avais pas besoin qu'on me parle d'elle pour imaginer ce qu'elle avait souffert et qui elle était.

— Une femme forte comme un arbre, disait Itzchak.

Elle avait choisi de s'installer là dans ce kibboutz de la frontière, là au bord du danger, avec des ennemis qui tiraient quelques coups de feu sur ces paysans obstinés. Elle avait dormi dans les abris quand tombèrent les premières grenades. Puis Leila était née et parce que la vie partout connaît les mêmes rythmes, les mêmes joies et les mêmes douleurs, le père de Leila était mort subitement dans l'un de ces sillons, l'effort, la fatigue et le soleil, couché sur sa terre comme s'il avait voulu l'embrasser et la protéger de son corps.

Leila avait grandi : kibboutz, université, voyages. Elle avait épousé lors d'un séjour à Paris un jeune homme, Joël, d'origine bretonne, un ingénieur agronome qui, catholique et enraciné dans la terre de France, avait décidé de vivre avec Leila au kibboutz. La mère de Leila avait disparu à son tour, mais grâce à la présence de Joël près d'elle, à l'enthousiasme et à la détermination avec lesquels il travaillait, mêlé à la communauté, Juif d'action et de solidarité et non de religion, Leila avait décidé qu'il fallait qu'enfin, malgré les risques, malgré le passé qui parfois sans qu'elle l'eût connu la submergeait, qu'enfin elle eût un enfant.

C'était le temps où le terrorisme commençait à utiliser des batteries de fusées, installées sur les hauteurs rocheuses dominant le kibboutz. Il fallut redescendre dans les abris, construire de nouveaux murs, craindre les incursions la nuit des petits groupes qui tentaient de pénétrer dans le territoire israélien afin d'y commettre des attentats et des sabotages.

Mais la vie allait malgré tout surgir en elle, de cela Leila était sûre.

Et un jour, l'éclat d'acier d'une bombe à retardement a tué Joël.

Peut-être vous demanderez-vous, Hommes de demain, et je l'ai fait aussi, pourquoi la mort choisit-elle plutôt celui-ci que celui-là, frappe-t-elle à ce moment et non à tel autre, peut-être vous demanderez-vous pourquoi Leila dont la famille, avant elle, avait été frappée si fortement, devait l'être à son tour. Peut-être vous le demanderez-vous à moins que vous n'ayez percé les mystères et compris le sens.

Et si je vous raconte l'histoire de Leila, qui sait si comme moi vous ne saurez pas mieux pourquoi, vous n'approcherez pas le bord de la réponse.

Car après tout Leila fut atteinte pour mieux incarner la bonté.

Ne vous méprenez pas, Hommes de demain. Je ne dis pas qu'il faut la souffrance pour conquérir le pouvoir du Bien. Mais il est vrai que la douleur est enseignement et que celui qui y est soumis devient différent.

J'ai vu des hommes et des femmes, et comment le leur reprocher, se plier et se perdre brisés.

J'ai tenté plusieurs fois de les aider à surmonter ce moment impitoyable, quand le désespoir recouvre de noir tous les aspects de la vie.

J'ai réussi souvent. Et c'est ma fierté de n'avoir pas écrit pour remuer des mots mais pour aider à vivre. Et quand, un homme ou une femme blessés reprenaient enfin pied sur le sol ferme, quand je les voyais s'éloigner de moi, plus droits, plus forts, je pensais que l'épreuve du malheur est comme un bain chimique où l'on est tout entier plongé. Ce qui n'était qu'impression fugitive tout à coup se fixe : on sait ce qu'est l'être, après, comme sur une photo développée. Réussie ou imparfaite, floue ou nette.

Hommes de demain, écoutez ce que fut Leila.

Itzchak me parlait d'elle.

Nous étions arrivés au bout des champs. Il me montrait les sacs de sable qu'on avait entassés pour protéger le kibboutz et son domaine. Du doigt il désignait les hauteurs d'où, à intervalles réguliers, on tirait sur les kibboutzin et leurs maisons. Il soupirait.

— Il nous faudra les déloger de là, disait-il. Comment veux-tu que nous acceptions qu'on nous tue encore ?

Il serrait mon épaule entre ses doigts épais de travailleur des champs. Il reconnaissait que parfois il s'interrogeait sur les sentiments de ces hommes de l'autre côté de la frontière, sur les raisons qu'ils avaient de haïr Israël. Ils vivaient dans le dénuement, c'était vrai. Ils refusaient d'admettre qu'existât ce pays neuf, surgi sur l'espace ancien.

— Nous pourrions être frères, disait Itzchak et nous le sommes par l'origine, alors pourquoi ?

Il reconnaissait qu'existaient parmi nous des hommes et des femmes résolus à nier l'autre, désireux seulement de le chasser et de le soumettre. Mais ils ne représentaient qu'une minorité emportée par la passion. Et même, puisqu'ils étaient eux aussi les enfants de la tradition juive, ils se soumettaient à la loi, aux règles démocratiques de l'État. Car, insistait Itzchak, Israël était le seul État démocratique de la région. Nous avions non seulement creusé des sillons dans le désert et transformé le sable en terre, semé nos arbres, mais aussi apporté ici le poids des lois, l'habitude des opinions, de la liberté de discussion, de la confrontation des idées, le goût d'une presse libre.

— Sais-tu ce qu'a fait Leila ? reprenait Itzchak.

Nous marchions lentement sous les arbres bas vers les bâtiments du kibboutz. Des enfants jouaient derrière les murs et un moteur de bulldozer couvrait parfois leurs voix. Au loin, dans une vallée sans doute, un canon tirait et l'horizon était zébré par les sillages blancs des avions à réaction. Le ciel avait cette luminosité brillante qu'il n'a qu'en Orient, l'hiver. Après la mort de Joël, Leila avait quitté le kibboutz pour plusieurs années. On la disait installée en Europe ou à Jérusalem, on ne savait. Elle enseignait, croyait-on. Puis elle avait écrit, demandant à reprendre sa place parmi ce qu'elle appelait sa famille. On avait organisé une fête pour son retour, décoré la salle de discussion de branches vertes. On était allé la chercher à l'arrêt du bus. Et on l'avait vue, belle toujours, presque inchangée, à peine un peu plus lourde, avancer dans l'allée du car, entre les sièges, poussant devant elle ses deux enfants.

— Ce sont les miens, avait-elle dit.

Les deux garçons regardaient autour d'eux avec les yeux effarés des chats. Cela ne dura que quelques minutes. Des femmes les entourèrent de tendresse, les hommes les soulevèrent au-dessus de leurs têtes, les enfants les entraînèrent dans leurs jeux. Ils devinrent en quelques minutes fils du kibboutz. Leila les avait adoptés. Ils étaient les enfants d'une famille palestinienne décimée par la guerre et dispersée. Ils allaient d'un camp de réfugiés à l'autre, agressifs et malheureux. Leila s'était dévouée durant des mois dans l'un de ces camps où la misère côtoie la colère, les cris de rage, les lamentations. Elle s'était attachée à ces deux enfants et, peu à peu, parce qu'elle allait vers eux sans défense, ouverte, tendant les mains, ils avaient cessé de brandir contre elle les griffes de la haine. Ils s'étaient laissé caresser et aimer, leurs défenses l'une après l'autre étaient tombées. Ils avaient comme cela se produit presque toujours répondu à l'amour par l'amour.

Elle n'avait pas cherché, Leila, à les convertir, à les annexer, à leur faire oublier ce qu'ils étaient. Elle avait au contraire voulu qu'ils sachent qu'ils appartenaient à un peuple frère devenu, parce que les labyrinthes de l'histoire et l'aveuglement des hommes conduisent à des impasses souvent, peuple ennemi.

Mais elle était amour.

— Une mère, une sœur, une amie, disait Itzchak, parlant d'elle.

Nous nous accoudâmes, Itzchak et moi, au parapet qui protégeait un jardinet où les enfants les plus jeunes jouaient, à l'abri des éclats de bombes et des balles. Derrière des sacs de sable je devinais les salles de classes et les têtes des élèves parmi lesquelles il me semblait reconnaître les cheveux crépus et noirs des deux garçons adoptés par Leila. Des chants, des voix et quelques pleurs aussi, comme en ont les enfants mécontents : la vie.

Était-il donc nécessaire que se croisent les malheurs, la mort de Joël et celle de cette famille palestinienne dont les deux garçons étaient le vivant symbole, pour que se tressent, dans cette région sacrée du monde, les brins unis enfin de la famille humaine ?

Ici, par les hasards orientés, trois religions, celle de Leila, la juive, et celle de Joël, la chrétienne, et l'islamique des deux garçons, trois branches du même tronc, celui de la foi en un seul Dieu, Dieu de mystère, Dieu d'espérance, Dieu de pardon, se rencontraient.

Hommes de demain, aurez-vous réussi la réconciliation féconde sur ce sol creusé par les passions ? Aurez-vous établi la paix, juste et sereine, sans laquelle il n'est pas de bonheur ?

Or, cet été-là, durant notre premier monde il y eut encore la guerre. Vous en trouverez sûrement des traces. Et d'abord dans les archives d'Israël. Mon peuple mit en accusation certains de ses soldats et de ses ministres. Et je suis fier qu'il les jugeât.

Cherchez, Hommes de demain, quel autre pays osa, en pleine guerre, enquêter sur le comportement des siens, dénoncer ses généraux et laisser sa presse libre de dire ce qu'elle pensait.

Où trouverez-vous un tel climat de démocratie ? Je suis heureux d'appartenir à ce peuple qui savait combattre et se retenir, qui savait se faire tuer et refusait d'employer tous les moyens de mort. Qui était faible parfois, se trompait parfois mais le reconnaissait.

Hommes de demain, il faudra compter cela aussi à notre crédit puisque nous étions, dans cet été du premier monde, à nouveau les boucs émissaires.

Je me souviens de mon sentiment de dégoût, de ma nausée quand j'ai lu dans les journaux, entendu dans les radios et la télévision, qu'on nous comparait aux bourreaux, aux assassins, aux tueurs, aux soldats nazis qui avaient réduit le ghetto en cendres.

Comme ils étaient à l'aise ces commentateurs pour, du haut de leur tribune, tendre vers nous leur doigt accusateur. Nous avions, disaient-ils, rasé, égorgé, torturé, enfermé. Nous étions devenus des maîtres de l'holocauste, nous les persécutés et les victimes !

Je pensais à Leila, à cette famille qu'elle reconstituait sur les terres labourées et où les germes des trois religions écrasées par la guerre faisaient froment de vie.

J'essayais de ne pas m'indigner, de reconnaître en moi que nous menions une guerre, et qu'elles sont toujours cruelles et injustes puisqu'on y tue. Que nous nous trompions et que c'était impardonnable puisque d'autres, des familles entières, dans des camps de réfugiés, payaient de leur vie nos fautes.

J'étais aux côtés des fils d'Israël qui réclamaient la paix par la négociation.

J'étais de ceux qui croyaient au dialogue sans fin, même avec les fils des assassins.

Je ne maudissais personne.

Je voulais qu'entre les frères déchirés et ennemis naisse enfin la paix.

Je pensais à Leila.

Je pensais aux journaux d'Israël qui n'hésitaient jamais à dénoncer les excès ou les erreurs de nos soldats.

Je pensais aux Commissions d'enquêtes que nous avions constituées et qui exigeaient la démission de nos ministres.

Je pensais aux cent mille manifestants qui en

pleine guerre réclamaient la paix, librement, dans les rues de nos villes.

Je pensais à ces officiers et à ces soldats qui refusaient d'obéir à des ordres qu'ils jugeaient non conformes à la loi d'Israël. Et il me fallait entendre, ici, les accusateurs frénétiques. Il me fallait écouter ceux qui prétendaient que nous avions transformé Beyrouth en ghetto !

Pourquoi ces excès, pourquoi cette violence contre nous alors que, dans mille lieux du monde, les puissants massacraient en silence, étouffaient toute discussion, bombardaient, torturaient, et que le chef de la plus puissante police politique de l'univers devenait maître de son Empire et donc l'un des maîtres du monde ?

Pourquoi ?

J'aimerais vous interroger, Hommes de demain. Je voudrais connaître vos réponses. Écouterez-vous les miennes ?

Je sais pourquoi l'on nous accusait avec cette outrance rageuse. Nous étions le remords de tant de gens, des pères et des fils après les pères.

Ils nous avaient laissé enfermer sous leurs yeux, sans réagir, sans même oser nous regarder et parfois ils avaient aidé les bourreaux en leur prêtant main-forte, en gardant nos enfants et nos femmes cependant que s'apprêtaient les trains pour la mort.

Cela fut à Paris un 27 juillet 1942, m'a-t-on raconté.

Mais cela fut mille fois en Pologne.

Ils nous dénoncèrent aussi. Ils se partagèrent nos biens.

Je me souviens de l'un de mes amis survivants qui au lendemain de la guerre rentra dans sa ville. Son appartement était occupé par une famille. Il sentit qu'il était le gêneur. Que n'était-il mort celui-là qui revenait maigre et désespéré, réclamant son dû ?

On le lui avait fait si bien comprendre que l'ami m'avait rejoint et que nous avions continué la guerre jusqu'à Berlin et de là, pourquoi tenter de renouer avec notre ancienne vie qui nous rejetait, nous avions traversé la mer et ouvert notre chemin outre-Atlantique.

Mais cela ne suffisait pas.

Il fallait pour que le remords s'efface des consciences qu'on nous transforme en assassins.

Je ne dis même pas que cela fut délibéré.

Qui ne cherche à se débarrasser du poids qui pèse sur ses épaules ?

On avait trop dit, depuis la fin de la guerre, que l'Europe, la belle Europe, les beaux esprits, les grands moralistes, nous avaient laissé massacrer.

On se souvenait de ce paquebot chargé de Juifs chassés d'Allemagne par Hitler et qui avait erré de port en port sans pouvoir débarquer ses passagers, qui furent presque tous repris par les nazis et assassinés.

On se souvenait des fosses et des ghettos.

Chacun portait dans le cœur le remords d'une étoile jaune. Et même ceux qui ne savaient pas qu'à Londres, en pleine guerre, un homme politique juif polonais s'était suicidé pour que sa mort attire l'attention sur le sort des Juifs de Varsovie, avaient honte. Allait-on nous laisser mourir ? avait crié cet homme. Les Alliés détruiraient-ils les camps d'extermination que révélaient les photographies aériennes ?

Il se tua, mais cette solidarité tragique qu'il manifestait, ce cri de sang qu'il lançait au cœur de Londres, la ville de la Liberté pourtant, la ville courageuse qui s'opposait aux nazis, qui l'entendit ?

Il y avait les impératifs de la guerre, les prudences des uns, les calculs des autres, les rivalités entre alliés, et on laissa faire, comme on avait laissé Hitler et les nazis détruire nos synagogues allemandes dans la Nuit de cristal, en 1937, première nuit de la grande persécution.

Et l'on savait déjà dès 1933 que des camps qui se nommaient Dachau et Buchenwald avaient été ouverts dès ce premier printemps du nazisme.

Et l'on savait déjà que les Juifs étaient dépouillés, martyrisés.

Qui se dressait contre cette gangrène ?

Qui osait lutter, dénoncer ?

Cette passivité, cette complicité parfois, quand furent ouvertes les fosses et qu'on fut contraint de regarder les corps amoncelés, six millions, elle fut insupportable même si l'on battit sa coulpe.

Alors qu'il fut heureux le moment, qu'elle était

commode cette guerre que nous menions puisqu'elle permettait enfin de dire que nous étions pareils aux bourreaux. Et qu'on ne nous devait plus rien. Au contraire. Que nous avions caché notre monstruosité, que nous avions dupé des générations, que nous étions de fausses victimes, puisque nous étions capables d'être une armée violente et efficace.

Hommes de demain, ne vous en laissez pas compter.

Une guerre est toujours un enfer, c'est vrai. Et donc celles que conduisit Israël le furent aussi.

Prendre pied sur une terre qui fut nôtre il y a deux mille ans mais où s'étaient enracinés avec des droits équivalents d'autres peuples ne peut que créer des drames, des colères et même des haines.

Mais que pouvions-nous faire, nous qu'on venait de tuer ? Nous dont le conflit mondial avait montré que nous étions partout rejetés ? Nous devions saisir notre destin afin de sauver nos femmes et nos enfants Tel fut le sens toujours du sionisme.

Nous voulions une terre pour y vivre et y mourir. Et nous n'acceptions plus qu'on nous désigne toujours comme les étrangers maléfiques.

Maintenant nous existons. Nous avons créé un État et une patrie. Accepterions-nous de nous en voir privés ? Ce serait nous livrer à nouveau à la hache des bourreaux.

Je sais, Hommes de demain, que certains d'entre nous sont emportés par la passion, qu'ils sont aveuglés par un esprit conquérant et que le pouvoir que donne la force les enivre. Ils sont excessifs et brutaux. Je ne nie pas qu'ils aient frappé des prisonniers et, comme le dit la commission d'enquête d'Israël, qu'ils aient laissé entrer dans des camps de réfugiés des tueurs. Peut-être même délibérément.

Je sais cela.

Et je sais qu'aucun peuple, aucun homme n'est à jamais innocent, qu'à chaque seconde il peut être pris par le désir de violence, de vengeance et de cruauté, qu'il n'y a personne qui ne soit définitivement et pour toujours juste.

Qui a nié cela parmi mon peuple ?

Mais, Hommes de demain, il faut que vous vous souveniez de nos institutions et de notre Loi, de la nature de cet État, de nos livres, de la foi que nous avons en l'esprit et de notre amour de la discussion.

Nous sommes le peuple du Livre. Et cela est déjà une garantie. C'est nous qui sommes les plus sévères avec nous-mêmes, nous qui enquêtons sur nous-mêmes.

Nous avons assez payé le prix du fanatisme et du racisme pour céder sans recourir à ces maladies.

Nous sommes un peuple de paix mais qui ne se laissera plus jamais égorger sans se battre.

Hommes de demain, je voudrais que se soit établi, quand vous vivrez, le gouvernement de la compassion et de l'amour.

S'il existe encore un foyer de guerre dans cette région sacrée où se sont croisées les religions, où l'on trouve Jérusalem, ses temples, ses églises et ses mosquées, alors, Hommes de demain, méfiez-vous de l'avenir.

Ce creuset du monde où vit Israël, ce lieu d'origine et de rayonnement de la foi en un Au-delà de l'homme, s'il n'est pas lieu de paix, il sera cancer pour le monde.

Il proliférera comme une maladie maligne.

Paix dans ce secteur du monde, compassion et amour pour les peuples de là-bas, entente de tous ces hommes si proches !

Hommes de demain, veillez, parlez de paix, pensez au destin de Leila, la jeune femme aux deux enfants bruns.

6

Les bergers et leurs troupeaux

Je m'en veux d'écrire avec tant de passion.

Hommes de demain qui me lirez, peut-être n'aimerez-vous pas le ton et les mots que j'emploie. Peut-être serez-vous tous semblables à certains de mes contemporains, hommes et femmes du premier monde, pour qui la gravité est un péril dont il faut s'écarter.

Ils ne veulent pas savoir.

Ils enfoncent la tête dans les jeux.

Ils se détournent des problèmes qu'ils devraient essayer de résoudre pour mieux vivre, pour devenir eux-mêmes.

Ils marchent dans leur vie pareils à des jeunes qui ont posé un casque sur leurs oreilles et circulent parmi la foule sans entendre les voix des autres, les chants ou le vent et ont la tête pleine de musique, seuls parmi nous, noyés de sons, refusant d'entendre.

Et pourtant, Hommes de demain, écrivant cela je ne dis pas toute la vérité.

Car mes livres graves, mes appels aux forces de la vie, mes pages tracées au nom de tous les miens, mon nouveau livre, ont trouvé des millions de lecteurs et chaque jour, depuis plus de dix ans, je reçois ma moisson de lettres. Dix-sept lettres aujourd'hui, petite récolte, mais certains jours plus de trente amis me tendent leurs mots et leurs mains.

L'un m'écrit ce matin : « Je voudrais, Monsieur Gray, que vous sachiez, à chaque fois que vous douterez et que la peine vous serrera le cœur, ou que vous vous sentirez un peu seul, que vous sachiez que, quelque part, vous avez un ami qui vous soutient. »

Peu d'auteurs, je m'en suis assuré, reçoivent de tels témoignages et de telles confidences.

Alors, Hommes de demain, comment expliquer à la fois ces refus de savoir, ces médiocres lâchetés, et cette volonté têtue de parler et de comprendre, d'aider et d'aimer ? Qui étaient-ils ces hommes et ces femmes du premier monde ? Les uns prêts à tendre la main, les autres aveugles et sourds ?

N'y avait-il parmi nous que quelques hommes-germes, qu'une petite élite d'hommes-promesses et le reste composait-il un océan de soumission ? Il m'est arrivé parfois de le croire.

Je n'ai qu'à fermer les yeux sur mon passé pour voir se rejouer des scènes d'horreur, quand, dans le ghetto, des policiers juifs pourchassent leurs frères et les livrent aux nazis, quand la solidarité nécessaire ne réussit pas à naître et que c'est la jungle du chacun pour soi. A toi d'être déporté d'abord, puisque tu es pauvre, à lui de mourir le premier puisqu'il ne possède plus de pain. Et je ne partage rien avec lui.

Mon peuple aussi, dans le ghetto, a été traversé de haine et d'égoïsme. Et comment en irait-il autrement puisque l'homme est partout l'homme.

J'ai suivi aussi des yeux ces rangées disciplinées de victimes et je ne comprenais pas que, parmi elles, une poignée au moins ne décidât de se battre, de mourir en combattant plutôt que de succomber à genoux. J'avais honte pour mon peuple. J'avais du mépris pour ces hommes vigoureux qui baissaient la nuque et marchaient entre leurs femmes et leurs enfants. Et du haut des toits je les maudissais, j'avais au bord des lèvres l'insulte et en même temps je pleurais. Je voulais crier : « Debout, debout, battez-vous, de toute manière quoi que vous fassiez ils vont vous tuer, saisissez une chance. » Parfois de longues colonnes n'étaient entourées que par une dizaine de soldats.

Un soir, sur une route, j'ai même rencontré des Juifs encore libres qui chaque jour rentraient librement dans leur ghetto. Je venais de m'enfuir de Treblinka, je savais quel serait leur sort. J'ai raconté déjà, je crois, comment ils refusèrent de croire en mon récit, tant étaient grands leurs désirs de s'aveugler, leur peur de la révolte. Je sais donc qu'il est facile de mépriser la foule et qu'elle vous donne des raisons apparemment légitimes de le faire.

On tombe vite, si l'on se laisse ainsi emporter, dans ce gouffre qu'est l'idée de diviser le monde en deux : hommes-germes, hommes d'élite, hommes du haut-monde d'un côté, et, de l'autre, hommes de faiblesse et d'abandon, hommes aveugles, hommes lâches, hommes médiocres, larves d'hommes.

Je crois qu'il est des hommes-germes qui annoncent le meilleur et le plus humain. Je crois qu'il est des hommes-promesses qui préfigurent le haut monde, votre monde, Hommes de demain.

Mais pour les reconnaître ces hommes sages, il n'est que de savoir ce qu'ils pensent de leurs semblables. S'ils imaginent appartenir à une élite, s'ils méprisent la foule, s'ils ne voient plus l'homme humble mais le définissent comme un animal sans volonté et sans liberté, alors, Hommes de demain, sachez que ces hommes qui se disent supérieurs n'en sont pas, qu'ils ne sont que masques du désir de puissance, qu'ils sont des hommes de proie.

Car un homme-germe, un homme de l'avenir, sait que si la flamme s'éteint dans l'homme, s'il se courbe, c'est moins parce qu'il est lâche que parce qu'on a étouffé en lui la volonté, tué l'espoir et soufflé l'étincelle.

Il n'est pas, il n'est jamais deux catégories d'hommes.

L'homme est partout l'homme. Terrible et bon, lâche et héroïque.

L'homme peut tout devenir : homme-germe ou homme-victime, homme-promesse ou homme-bourreau.

Je pensais à cela un matin, lisant une lettre qui m'arrivait d'Allemagne, d'une petite ville que je ne connaissais pas, Alfeld-sur-Leine, et la jeune femme qui l'écrivait s'appelait Stephanie D.

Cette lettre m'avait beaucoup ému, quelques phrases seulement, écrites à l'encre bleu, en français, une page à peine et je n'en cite que le début : « Je viens de finir votre livre, *Au nom de tous les miens,* qui m'a bouleversée. L'année dernière je l'avais acheté en France sans savoir de quoi il s'agissait. Maintenant je suis très heureuse de l'avoir pris parce que vous m'avez donné beaucoup par votre livre indescriptible. Par rapport à vous et à votre vie, J'AI HONTE D'ÊTRE ALLEMANDE. »

M'étais-je trompé en écrivant mon livre ?

La question était d'autant plus grave qu'un film était né de mon récit, qu'il allait multiplier le nombre de ceux qui dans les nouvelles générations prendraient conscience de ce qu'avaient été la guerre et la persécution. J'avais voulu partager ma mémoire avec ceux qui avaient échappé à notre enfer. J'avais survécu pour raconter et j'avais été fidèle à mon père qui m'avait chargé de cette mission : dire, dire, ne pas laisser l'oubli effacer les cicatrices de l'histoire que nous avions vécue et qui sont les plaies de l'histoire humaine.

J'étais donc heureux qu'un film retrace notre martyre et notre refus d'abdiquer, qu'il dise avec les images, au plus grand nombre donc, ce que j'avais écrit parlant de Varsovie : « Nos vies avaient l'éternité de la pierre et nos pierres l'éternité de la vie. »

J'avais veillé à ce que les décors et les lieux soient conformes à la vérité et le metteur en scène, les acteurs et jusqu'aux plus modestes des techniciens s'étaient imprégnés à ce point de mes mots et de notre drame qu'ils avaient trouvé en eux-mêmes, eux qui étaient des professionnels aguerris, cette innocence et cette virginité qui associées à l'expérience sont la condition de la réussite. Ce film malgré les cauchemars qu'il faisait renaître en moi, j'avais accepté qu'il existe pour que d'un bout à l'autre du monde, et même auprès de ceux pour qui la lecture est difficile, on découvre, on comprenne et on se souvienne.

Mais je n'avais pas voulu qu'une jeune femme m'écrive : « J'ai honte d'être allemande », car je ne désirais pas, jamais, accuser le peuple allemand des malheurs que nous avions subis.

Hommes de demain, n'accusez jamais un peuple.

Le peuple est fait de grains de conscience, il est

la somme de rêveries individuelles. Il n'aime ni la guerre ni le mal. Il préfère la quiétude et l'amour.

Tous les peuples sont semblables dans leur désir.

Hommes de demain, s'il vous faut dresser un acte d'accusation, traînez devant les juges quelques chefs qui ont menti, dirigé et imposé, qui se sont enivrés de pouvoir et de puissance et condamnez aussi les systèmes politiques qui rendent esclaves les peuples et écrasent chaque homme comme on le fait d'un grain.

Mais n'accusez pas le peuple allemand.

Souvenez-vous.

Creusez les apparences comme on le fait d'un sol pour découvrir l'or, et ici ce sera la vérité.

Ne vous laissez pas aveugler par l'enchaînement des faits, tels que l'histoire nous les présente.

Que vous dira-t-on, que m'a-t-on dit ? Qu'Hitler était un fou qui avait réussi à tromper tout le peuple allemand et que celui-ci, comme une tribu de rats dans un conte, l'avait suivi jusqu'à la rivière. Hitler jouait avec les mots et les idées et les promesses et le peuple marchait derrière lui, charmé. Quand Hitler entra dans l'eau boueuse de la guerre, le peuple suivit encore et se noya tout entier.

Telle est l'histoire qu'on nous conte et l'on ajoute que le peuple allemand fut servile et docile, cruel, qu'il y eut en lui une floraison de bourreaux : non seulement les grands criminels proches d'Hitler, mais autour d'Himmler et de ces SS, les Eichmann et les Klaus Barbie, ces hommes qu'un jour, longtemps après la fin du conflit, on réussit à prendre et à juger sur les lieux de leurs crimes.

Et ce fut le procès Eichmann au cœur du peuple d'Israël.

Et ce fut la prison de Lyon — le fort Montluc — pour Barbie, enfermé là dans la cellule même où il avait torturé.

La jeune Stephanie qui m'écrit d'Alfeld-sur-Leine « J'ai honte d'être allemande » croit à cette apparence et je me reproche de n'avoir dans mon livre dit que ce que j'avais vu et vécu et non ce que j'avais compris, après, de l'histoire et de la responsabilité des peuples. Ce n'est pas mon récit qui est responsable de la honte de Stephanie : elle avait une culpabilité souterraine, venant de ce qu'on lui avait enseigné. Elle a recueilli dans mon livre de nouvelles preuves, vécues et douloureuses. Elle se frappe la poitrine : « J'ai honte d'être allemande », dit-elle.

Je voudrais te convaincre, Stephanie.

D'autres pourraient dire : J'ai honte d'être américaine. Et ils penseraient aux explosions atomiques à Hiroshima et à Nagasaki, et aux bombardements sur le Viêt-nam.

Et d'autres pourraient crier : J'ai honte d'être français. Et ils évoqueraient la guerre d'Algérie et les tortures accomplies par des officiers de cette armée française.

Et d'autres hurleraient : J'ai honte d'être russe et ils décriraient le goulag et ses dizaines de millions de victimes. Et les Turcs s'accuseraient du massacre des Arméniens, et les Juifs pourraient aussi — leur commission d'enquête ne vient-elle pas de mettre en cause leur responsabilité — être honteux des morts palestiniens de Sabra et Chatila.

Et chaque homme et chaque femme de ce premier monde ne pourrait-il crier : J'ai honte d'appartenir à l'espèce humaine puisque je laisse mourir de faim des millions d'enfants chaque année ! Et toutes ces hontes pourraient apparaître légitimes et toutes seraient infondées !

Hommes de demain, avant de nous juger, avant de vous laisser aller à condamner un peuple tout entier — et vous ne le ferez pas, vous n'en aurez même pas la tentation si vous êtes des hommes du haut monde, des hommes sages — laissez-moi vous raconter, vite, l'histoire de ce peuple allemand, de cette nation dont j'ai eu tant à souffrir.

Et dont, pourtant, je ne veux pas que Stephanie D., jeune Allemande, ait honte.

Je pense à Karl F., un médecin de New York, un homme d'une soixantaine d'années, un exilé des années quarante, que j'appelai un jour au chevet de ma grand-mère malade, parce que notre médecin habituel était absent. Karl F. habitait un immeuble voisin, j'avais plusieurs fois eu la tentation de lui téléphoner mais je le savais Allemand, diplômé de la faculté de médecine de Berlin et comme son nom n'était pas celui d'un Juif, je le confondais alors dans la méfiance que j'avais à l'égard de tout Allemand.

Mais nécessité fait loi.

C'était un homme grand, maigre, aux lunettes cerclées de fer, aux tempes rasées. Il était allemand jusqu'au moindre de ses gestes, raide et distant, et je ne pouvais m'empêcher de l'imaginer sous l'uniforme d'officier, non pas un SS, mais l'un de ces soldats de l'armée régulière, qui avait laissé faire les tueurs et au moment où les bourreaux noirs nous abattaient dans les fosses, détournaient la tête ou s'éloignaient faire leur devoir de militaire.

J'avais du mépris pour lui, je l'admets, et cependant qu'il était assis rédigeant l'ordonnance je restais debout, les mains derrière le dos dans une attitude hostile, ne répondant à ses questions que par monosyllables, prêt à lui dire : « Vous êtes allemand comme mes bourreaux, j'ai trop souffert par eux pour pouvoir vous accepter. »

J'étais jeune alors, encore hérissé de haine, les yeux et la tête brûlants de souvenirs et d'images. L'accent allemand me donnait un frisson de crainte et de colère. Ce fut Karl F. qui au moment de partir me dévisagea.

— Vous savez, dit-il, je suis allemand, mais j'étais l'ennemi des nazis. Un peuple, ce sont des millions d'hommes et de femmes, et non pas une foule de bourreaux, je vous expliquerai si vous voulez.

Nous nous revîmes, le docteur Karl F. et moi. Je lus les livres qu'il me prêta. Peu à peu je compris.

Le peuple allemand dont Karl F. était un des nobles visages avait résisté des années et des années à la faim, au chômage et à la violence. Je ne savais pas que, au moment de la crise économique des années trente, des millions d'Allemands mouraient de misère, qu'un timbre-poste à cause des dévaluations successives coûtait quelques milliards de marks, j'ignorais que malgré cela les Allemands continuaient de croire à la démocratie et de voter pour elle.

Naturellement sur le corps de ce peuple blessé, des agitateurs noirs ou rouges avaient proliféré. Hitler, démagogue et violent, avait rassemblé autour de lui quelques millions d'électeurs mais j'apprenais avec surprise qu'il n'avait jamais atteint la majorité. Qu'en novembre 1932, à quelques mois de sa prise du pouvoir, le parti nazi et Hitler perdaient deux millions de voix.

Karl F. insistait, me montrait combien cette chute de suffrages avait été grave pour les nazis parce qu'elle indiquait que la partie du peuple allemand qu'ils influençaient ouvrait elle aussi les yeux, que ces Allemands que j'avais critiqués usaient de leur réflexion malgré le déferlement de la propagande et les violences dans les rues. Puis en janvier 1933, il y a plus d'un demi-siècle, une combinaison parlementaire, le jeu des hommes politiques avaient permis à Hitler de devenir chancelier du Reich.

— Pas le peuple, disait le docteur Karl F., pas le peuple, mais ses bergers, ceux qui prétendaient parler pour lui.

Alors, Hitler devenu chef légal du gouvernement et du Reich, la terreur s'était déchaînée. Les brutes étaient devenus des policiers. Les membres du parti nazi les représentants officiels de l'État. On avait brûlé les livres sur les places, incendié le Reichstag et fait croire que les communistes étaient les auteurs de cet acte criminel pour mieux les emprisonner et les assassiner.

— Je m'obstinai encore, disait Karl F. Je sentais que mon peuple n'était pas encore écrasé, malgré cette terreur. Il y a eu les élections de mars 1933. Les nazis entraient dans les maisons pour imposer aux électeurs de voter pour eux. Les coups et les menaces pleuvaient. Des hommes en uniforme brun surveillaient les bureaux de vote. Et cependant, je me faisais répéter le chiffre tant il me paraissait incroyable, ce 5 mars 1933, alors qu'Hitler était chancelier depuis plus de six semaines : douze millions d'électeurs allemands votèrent contre lui, pour les partis antinazis (communistes et socialistes). Les socialistes entre novembre 1932 et mars 1933, alors que la frontière avait été franchie par les nazis puisqu'ils avaient conquis le pouvoir, ne perdaient que sept mille voix !

— Voilà le peuple allemand, me murmurait le docteur Karl F. à New York, dans les années cinquante.

Après, après, on avait ouvert en Allemagne les premiers camps de concentration, après, après, personne n'était venu, de ces nations démocratiques, France, États-Unis, Angleterre, aider les opposants, après il avait fallu en Allemagne se soumettre, mourir ou partir. Et le docteur Karl F., qui n'était pas Juif, mais simplement libéral, avait quitté son pays. Et son frère, professeur d'université, avait été enfermé au camp de Dachau.

— Voilà le peuple allemand, répétait-il. Il s'est obstiné, douze millions d'électeurs malgré la terreur et puis il a craqué, parce que personne, personne, ni ceux qui prétendaient parler en son nom ni les Européens ne l'ont soutenu. Voyez-vous — Karl F. se levait — on nous a noyés dans le nazisme, on ne nous a laissé le choix qu'entre la mort ou la soumission. Il y a eu beaucoup de suicides, croyez-moi, car tout le monde n'avait pas la possibilité de s'enfuir comme je l'ai fait. Mais il fallait vivre, un peuple ne se suicide pas, il lutte d'abord le visage découvert, puis s'il se soumet il résiste encore, à sa manière, mais pour les Allemands, ne vous y trompez pas, ce fut non pas l'enthousiasme, sauf pour une minorité, mais le désespoir. Personne, à l'exception de quelques milliers de fous, ne désirait en 1938, 1939 la guerre, croyez-moi, tout le monde espérait que les démocraties sauraient résister à Hitler et puis il l'a emporté, les monstres semblaient avoir raison, alors, que faire quand vous n'êtes qu'un grain et que la meule commence à tourner ?

Je crois qu'il fut le premier à employer ce mot

de grain pour désigner, devant moi, les simples gens emportés par le courant de l'histoire et qui tentaient un instant d'y résister, mais qui, à la fin, laissaient la vague les recouvrir.

Hommes de demain, je voudrais qu'on ne voie dans le peuple allemand, dans presque tout le peuple allemand, qu'un peuple de victimes.

Ce fut lui qui succomba sous les bombes. Ce fut lui qui dans Dresde en feu brûla par centaines de milliers, lui qui laissa ses fils dans la neige de Russie et le sable du désert, lui qui vit sa patrie partagée en deux, lui qui durant les années de l'après-guerre connut la misère et dut s'imposer le silence des coupables, écrasé de remords.

Je n'ignore pas qu'il y eut parmi lui aussi cette centaine de milliers de bourreaux qui d'un bout à l'autre du monde, et après la guerre, dans les pays d'Amérique latine, furent des tortionnaires, des animaux à visage d'homme, des enragés qui souvent réussirent à échapper à la justice. Et l'accusation accabla le peuple allemand dans son ensemble.

Hommes de demain — et je me parle aussi à moi-même car, parfois j'oublie cela, emporté par mes souvenirs et au lieu d'écrires nazi, j'écris allemand et ce sont deux mots différents — et toi Stephanie D., distinguez le troupeau de ses mauvais bergers.

Hommes de demain, pensez à ceci.

Je vis actuellement en France, ma troisième

patrie après la Pologne et les États-Unis. Je partage les émotions de ce pays. Quand en février 1983 j'appris que le bourreau nazi Klaus Barbie venait d'être extradé de Bolivie et enfermé dans l'une des cellules de ce fort de Lyon où il avait torturé, je fus non pas heureux, car ce mot ne s'applique pas quand il concerne le malheur de centaines d'hommes assassinés par ce tortionnaire, mais je fus apaisé comme si, enfin, justice allait pouvoir être rendue. Et j'avais éprouvé le même sentiment quand Eichmann avait été pris et conduit en Israël. Je n'aime pas la vengeance, c'est un sentiment aigre qui ne laisse qu'amertume. Mais la justice est nécessaire. Et après tant d'années il était réconfortant de savoir que ces animaux à visage d'homme allaient enfin comparaître devant un jury. Et j'aimais que la France ait aboli la peine de mort.

Point n'est besoin de tuer pour rendre la justice.

Mais j'appris de la bouche même des résistants français que dans les années noires 1943-1944 quand Klaus Barbie opérait à Lyon, on ne comptait en France que deux mille agents allemands de la Gestapo alors qu'on dénombrait quatre mille Français au service de cette police allemande et qu'il fallait y ajouter dix mille miliciens alliés des nazis, dix mille Français !

Fallait-il donc accuser le peuple français au lieu du peuple allemand ?

Fallait-il se souvenir des gendarmes et des policiers français qui avaient pour les Allemands, incapables de les organiser, réalisé les rafles contre les Juifs ?

Et dans le ghetto de Varsovie ou même dans les camps fallait-il accuser le peuple ukrainien plutôt que l'allemand puisque bien des bourreaux venaient d'Ukraine ?

Hommes de demain, à accuser les peuples on se condamne à ne rien comprendre.

Hommes de demain, l'homme est un homme quelle que soit la nation dont il est originaire et l'uniforme qu'il porte.

Aucune malédiction ne pèse sur une communauté particulière mais il y a de mauvais systèmes politiques, des idées maléfiques et des chefs coupables. Et aucun peuple n'est à l'abri de ces épidémies-là.

Hommes de demain, je ne sais comment vous aurez organisé la société qui sera la vôtre. Qui prendra les décisions auxquelles tout groupe humain est confronté ? Quelques-uns parmi vous que vous aurez désignés, et comment ? Par l'élection ? Aurez-vous établi un système politique ou chaque citoyen, même le plus anonyme, sera consulté sur les grands choix de son pays ? Saurez-vous encore ce que sont pour nous les hommes politiques ? Applaudirez-vous des chefs, voterez-vous pour un seul homme que vous nommerez comme nous le faisons : « Président » ?

Je vivais, Hommes de demain, en France et je n'y votais pas. Quand l'élection présidentielle se déroulait aux États-Unis, j'accomplissais mon devoir électoral. Et je crois qu'il est nécessaire de choisir entre deux candidats. Mais je n'avais aucune illusion sur le système politique. Je préférais, faut-il le dire, la démocratie à la dictature. J'avais connu en effet les deux faces du totalitarisme. Le noir, celui du racisme des SS, quand les tueurs faisaient la loi, qu'il suffisait d'être Juif pour être abattu, de ne pas appartenir à la nation allemande pour être humilié et considéré comme un « sous-homme ». J'avais vu cette discipline militaire, cette loi des prisons s'étendre à toutes les formes de la vie. J'ai haï cette terreur nazie qui s'étendait sur le monde comme une lèpre. Et j'ai contribué à détruire, dans la mesure de mes forces — je n'étais qu'un soldat — ce gouvernement d'un fou appuyé sur une police.

Mais, une fois cet ordre détruit, Berlin en ruine, le bunker du Fuhrer enseveli, j'ai vu s'implanter l'autre ordre totalitaire. Appelons-le rouge et je faisais partie de son armée. J'ai pu juger de celui-là aussi. Quelque temps j'ai été aveuglé parce que je pourchassais les nazis et que j'imaginais que cette armée rouge était, malgré sa brutalité, celle de la justice.

Et puis, j'ai découvert la corruption, la censure, la soumission des hommes à un parti, j'ai senti le poids des polices, les unes secrètes, les autres visibles, j'ai refusé de devenir l'un des rouages, même privilégié, de cette machine à écraser et à contrôler l'homme.

Et je suis passé dans les pays de l'Ouest. Ceux qu'on nomme démocraties.

Hommes de demain, j'ai eu le privilège de connaître les régimes politiques et les sociétés du premier monde. Le nazisme je l'ai vécu. Le totalitarisme soviétique je l'ai subi et deviné. La démocratie m'a enveloppé.

J'ai connu David B., un homme politique américain, un sénateur jeune et ambitieux. Je l'ai suivi dans ses campagnes électorales parce qu'il était un ami. Je l'ai vu sourire au point d'en avoir le visage grimaçant, je l'ai vu serrer des mains par centaines au point d'en avoir les doigts raidis. Je me suis assis dans la salle d'attente de son bureau et j'ai écouté les visiteurs qui se pressaient, tous soucieux d'obtenir de lui un service personnel, une aide pour une formalité qu'ils avaient du mal à accomplir. Dans aucun d'eux je n'ai rencontré ce souci de la société qui aurait dû, me semblait-il, les animer. Ils ne se souciaient que de leur vie privée.

Je ne les condamne pas. Je constate.

David B. était-il différent ?

Les premières années — ou peut-être simplement la première année — il obéissait à un idéal. Il voulait contribuer à améliorer la société qui lui paraissait injuste. Puis je le vis être dévoré par la machine politique. J'allais parfois, quand j'étais de passage à Washington, le rencontrer au Sénat. Je découvrais visite après visite les modifications qui s'opéraient en lui. Plus gras, plus préoccupé, il était devenu un homme de la machine politique qui préparait ses réélections avec méthode et anxiété. Je n'avais plus rien à dirc à cc « professionnel » semblable désormais à tous les politiciens. Je le voyais recevoir ses électeurs avec un enthousiasme de bonne fabrication et les oublier dans la seconde mêmc où la porte de son bureau se refermait sur eux.

Était-ce là la démocratie, Hommes de demain ?

Je me souviens de l'anecdote que je sais totalement vraie car l'homme qui m'a apporté son témoignage est digne de foi. Le maire de l'une des villes du sud de la France proche de ma propriété entretenait les meilleures relations possibles avec les représentants de la communauté juive qui représentait une part importante de son électorat. Il les recevait souvent avec déférence, leur accordait attention et subventions. Il les raccompagnait jusqu'au seuil de sa mairie, puis il hurlait à son huissier : « Ouvre-moi toutes les portes, de l'air, de l'air, ça pue le Juif ici. »

Hommes de demain, voilà parfois qui étaient les bergers que se donnaient par l'élection les peuples des démocraties.

J'en ai vu et je ne citerai pas les noms de ces petits affairistes avides qui se partageaient le pouvoir parce que celui-ci n'était pour eux qu'un moyen de faire rapidement fortune.

Ils couvraient les murs de leur ville d'affiches représentant leur visage, répétant leurs qualités. Ils n'étaient que des manipulateurs, tirant des vieillards de leur lit pour les faire voter, distribuant de petits pourboires afin de mieux séduire, de corrompre, d'acheter des votes.

J'ai vu tant de campagnes électorales qui ne s'adressaient pas à la raison, qui ne présentaient pas les véritables choix qui s'imposaient aux citoyens en insistant sur ce que les hommes politiques pensaient être les meilleurs moyens pour les attirer et les duper.

Hommes de demain, j'avais connu les totalitarismes mais je n'étais pas satisfait de la démocratie telle qu'elle se pratiquait dans notre premier monde. J'y voyais des hommes et des femmes dupés, des bergers entraînant leurs troupeaux là où ils pourraient mieux les tondre.

Et après tout Hitler était aussi pour une part issu de la démocratie.

Hommes de demain, que j'aimerais connaître l'organisation de votre société, que j'aimerais savoir comment vous avez établi l'équilibre entre l'obligation de décider et de choisir et celle de consulter.

Parfois je crains que vous n'ayez installé cette société totale que décrivent certains écrivains quand chaque acte du citoyen est contrôlé, orienté, quand chaque geste est espionné, quand des yeux électroniques renseignent le « big brother » policier qui gouverne chaque pensée.

Je crains cette société de cauchemar où la liberté de l'homme serait détruite et où l'on tenterait d'enchaîner son âme. N'est-ce pas cela qui existe déjà dans certains pays ? Et n'est-ce pas cela sous une autre forme qu'on voit poindre ici, avec les citoyens transformés en sujets passifs, drogués par les sons et les images ?

Hommes de demain, que Dieu fasse que cela ne soit pas.

Faut-il avoir confiance ? L'un de mes amis proches, un député français F.C., me faisait part de ses remarques que mes propres constatations confirmaient.

D'un côté les hommes et les femmes semblaient pouvoir être manipulés avec des formules simples et vulgaires. Certains députés vendaient leur politique, leur programme, comme une marchandise utilisant les mêmes procédés publicitaires. Ils exploitaient les sentiments les plus simples : la peur, la haine, la vulgarité. Et ils semblaient réussir à tromper et à entraîner.

Les hommes et les femmes étaient-ils donc aveugles à ce point, pions que l'on pouvait pousser comme on l'entendait ?

Souvent je le craignais et j'en parlais à mon ami F.C., convaincu pourtant au fond de moi que je me trompais. Car la conscience de l'homme ne pouvait être étouffée même avec une avalanche de moyens.

F.C. partageait mon sentiment. Il me disait que l'homme et la femme d'aujourd'hui étaient comme les parts de fruit accolées l'une à l'autre. On pouvait les juger sévèrement : égoïstes, aveugles, ou au contraire, en les écoutant, découvrir en eux le talent, la réflexion, la connaissance, la soif de savoir, le besoin de dignité, toutes ces qualités qui font l'homme-germe, l'homme du haut-monde, l'homme-promesse. F.C. me disait qu'à chaque fois qu'il discutait avec des hommes et des femmes il était frappé par leur intelligence et leur générosité. Et quelle était mon expérience d'écrivain sinon la même ? Toutes les lettres que je recevais étaient chargées de bonté et souvent de tendresse. On se proposait d'aider la Fondation que j'avais créée. Une jeune fille ce matin, dans une longue lettre où elle évoquait les problèmes personnels qu'elle avait dû surmonter, ajoutait qu'elle voulait

« donner sa voix pour enregistrer des livres sur cassettes pour aveugles ».

Rien tout cela ?

Ou au contraire, comme je le pense, la preuve qu'en chaque être sous la carapace, derrière les masques, se trouve la profondeur fructueuse et fertile de la conscience. Ce que certains appellent l'âme.

Hommes de demain, j'en veux aux « bergers » des peuples, aux politiciens, aux chefs, de ne pas s'adresser aux consciences mais au contraire de durcir la carapace, de n'utiliser de l'homme que les instincts, de dresser, parfois dès l'enfance, leurs peuples à n'être que des mécaniques utilisables pour des buts qu'eux seuls ont choisis.

Hommes de demain, laissez l'enfant s'épanouir, n'en faites pas un rouage !

Je voyais des images affreuses. De jeunes adolescents le front entouré d'un bandeau sur lequel était inscrit une maxime, une parole de foi, mais cette religion était détournée de son but fraternel pour n'être plus qu'une arme de guerre.

Et ces jeunes « combattants de la foi » étaient selon moi des victimes vouées à la mort sur un champ de bataille, poussées à tuer et à mourir par des prêtres qui oubliaient qu'une religion, quelle qu'elle soit, ne saurait conduire des enfants à se sacrifier. Ou alors cette religion n'est plus que barbarie.

Et les mots de guerre sainte, une association horrible de mots, ne cachent que le goût de conquête et le choix de la cruauté.

Hommes de demain, refusez le fanatisme, pariez sur la conscience, sur le fond généreux de l'homme, sur son intelligence.

J'ai toujours fait ce pari et même si, parfois, je l'ai cru perdu, à la fin il était gagné. Mais faire confiance cela suppose déléguer et laisser libre.

Hommes de demain, j'ai eu du mal à le faire.

J'ai dû faire la guerre souvent en solitaire. Mes affaires je les ai conduites seul, le plus souvent. Ma collectivité ce fut ma famille, mes enfants et ma femme. Puis, après mon drame, vinrent les lecteurs, leurs milliers de lettres. J'ai engagé le dialogue, mais je fus encore seul, car eux étaient une foule qui s'adressait à moi, moi, Martin Gray, le survivant. J'ai lutté contre cela mais les habitudes sont un poids sur soi.

Le jardinier Chabour, me fit prendre conscience de cela. Je le guidais dans son travail non pas que je n'aie pas eu confiance en lui, mais parce qu'il me semblait que ce travail j'eus dû le faire moi-même et j'en faisais d'ailleurs une large part. J'étais toujours sur les pas de Chabour, le conseillant, l'avertissant, lui désignant un arbre à tailler, le retenant, l'interrogeant. Quand il tondait le gazon, du haut de la terrasse je lui désignais les zones où il fallait repasser. Je ne comprenais pas pourquoi, alors qu'il était un homme plein d'enthousiasme le plus souvent, il travaillait avec une sorte de tristesse, les épaules voûtées, approuvant de la tête chacune de mes remarques. Je les faisais sans aucune rudesse, comme on donne un conseil à un ami ou à un fils.

Puis, un jour, j'ai dû m'absenter pour un séjour de quelques semaines au Canada. Je devais prononcer là-bas une série de conférences sur le sens de la vie.

J'aimais la vitalité canadienne, la particularité québécoise, la fidélité aux origines, la spontanéité et la sincérité des cœurs dans cette belle province, l'ampleur des paysages, l'ouverture de l'horizon. Le Canada aurait pu être l'une de mes patries. Et j'étais heureux que mon film ait reçu là-bas l'appui d'un producteur plein d'élan, capable de rassembler autour de lui de nombreux appuis. Je me sentais un peu canadien.

Quand je rentrai en France comme toujours rajeuni et lavé par la vigueur du climat québécois je restai un long moment contre les grilles avant d'entrer dans ma maison des Barons. Je voyais Chabour courir d'un arbre à l'autre, d'une haie à un massif de fleurs. Il se reculait pour juger de l'effet de ses coups de sécateur, il se penchait pour biner le sol, je devinais son enthousiasme. Chacun de ses gestes était sien. Il inventait son travail sans être contraint d'obéir à mes directives. Il créait.

Quand il me vit, il me salua d'un grand geste des bras :

— Vous avez vu, elles sont belles, dit-il en me montrant les fleurs. Vous ne le croyiez pas, hein ? continuait-il. Vous, vous n'auriez pas voulu que je les plante.

J'ai saisi la leçon.

Hommes de demain, si vous voulez que votre monde échappe à la grisaille et à la tyrannie, laissez chacun des hommes exprimer sa personnalité et son génie.

Que chacun se sente responsable de ce qu'il est, de ce qu'il fait, de ce qu'il crée. Qu'il n'existe plus de grands chefs traditionnels, de meneurs d'hommes, de politiciens professionnels qui parlent au nom de tous.

Il faut des hommes de valeur, qui soient chargés de responsabilités par leur concitoyens, maix ceux-ci ne doivent rien déléguer qu'ils ne contrôlent.

Hommes de demain, chacun doit demeurer maître de sa vie, de son destin et de ses choix.

La liberté ne se partage pas.

7

Le droit des autres

Je viens de lire quelques-unes des pages qui précèdent à un journaliste. A force d'insistance j'avais accepté de le recevoir. L'homme était jeune, un peu ironique et agressif comme le sont souvent les reporters qui jouent les blasés, les indifférents, soucieux de ne jamais se laisser émouvoir ou convaincre. Maintenant je les connais bien. Voilà plus de dix ans que je les côtoie. Après mon drame ils se sont jetés sur mon histoire, ils m'ont dévoré de questions. Pour la première fois de ma vie, parce que la mort me harcelait, j'étais devenu un sujet intéressant. J'ai vu ma photographie à la une des journaux, sur les écrans de télévision. J'étais un fait divers, un cas exceptionnel.

Plus tard quand j'ai publié mes livres et créé ma fondation pour la protection de la nature il m'est arrivé de rechercher le contact avec les journalistes. J'avais besoin d'eux, c'est vrai. Je voulais que mes livres et mes actions ne soient pas enfouis dans le silence. J'ai compris alors que l'information est un pouvoir, que ceux qui le détiennent ont une importance capitale dans la vie de notre premier monde et que, dès lors, leurs responsabilités sont écrasantes. Un titre, le choix d'un mot ou d'une image et voilà que, comme le fait un aimant sur les grains de limaille de fer, les journalistes ou les rédacteurs en chef orientent les idées, influencent les pensées, choisissent ce qui va être retenu ou oublié.

J'écoutais donc le jeune journaliste. Il rejetait ses cheveux noirs qu'il portait coupés de part et d'autre de son front, mais ils retombaient cachant parfois ses yeux. J'avais achevé depuis quelques minutes la lecture de ce que je venais d'écrire, ces lignes sur l'Allemagne et la politique, sur la liberté et la nécessité pour chaque homme de créer, d'être autonome. Il hochait la tête, riait silencieusement, ouvrait les mains comme s'il voulait me montrer qu'elles étaient demeurées vides.

— Tout ça, me dit-il, ce livre que vous écrivez, ça ne me fait qu'une ligne, un paragraphe au mieux, ce n'est pas avec ces réflexions-là qu'on remplit les journaux, vous le savez ? Ils veulent du neuf, du sang, de la violence, des histoires, quoi, votre bouquin, sagesse, réflexion et méditation sur les hommes de demain, bon, moi ce qui m'intéresse, c'est le film, les acteurs, vos sentiments, vous comprenez ?

Il était touchant à force d'être conforme, dans ses propos, aux caricatures que l'on faisait parfois de sa profession. Je ne pouvais que le décevoir. L'histoire de mon film était grave, sans grands éclats spectaculaires parce que l'étonnant était dans la trame même de ce que le film racontait, la vie des miens, ce boomerang du malheur revenant sur eux, sur moi, et il était aussi dans les conditions de la naissance du projet.

Un homme que j'appellerai seulement Maurice, mais vers qui vont toute mon amitié et mon affection, était un jour venu à moi, poussé vers ma demeure des Barons par l'une de ces grandes peines qu'on doit partager sinon l'on risque d'en mourir. Il m'avait lu. Mes livres lui avaient apporté réconfort et espérance. Maintenant il voulait parler et m'aider. Je le fis entrer, je l'écoutai me raconter comment son fils unique s'était noyé, comment le désespoir avait failli l'emporter lui qui était l'un de ces hommes qui ne baissent jamais les bras, lutteurs, créateurs d'entreprise. Maintenant que la traversée de l'abîme était accomplie, grâce à mes livres, qu'il ne restait que la peine permanente comme une plaie contenue, il voulait m'aider et agir.

Un autre de mes amis, André, parce qu'il désirait que sa vie ne soit pas seulement une réussite pour la réussite, avait aussi décidé d'agir pour que le plus grand nombre, en écoutant mon récit, connaissent nos souffrances et trouvent force et raison de vivre. André et Maurice vinrent à plusieurs reprises chez moi. Je les écoutais faire naître déjà de leurs volontés les images. Ils me convainquaient que je pouvais faire confiance à leur intégrité morale, à la fidélité qu'ils manifesteraient à mon récit et au réel.

André me dit : « Pour moi, cette histoire est une chose sacrée, trop de gens, trop de vies en cause, trop de souffrance et trop de courage, produire ce film ce sera l'œuvre de ma vie. » Je les laissai agir.

Ils trouvèrent le metteur en scène et les acteurs. Ceux-ci vinrent chez moi filmer et je revécus, les voyant, tant de passages de ma vie. Ces enfants qui se balançaient aux branches des arbres, c'étaient les miens. Un journal reproduisit même trois photos côte à côte, ma famille disparue, celle que, grâce à Virginia, j'ai reconstruite et la famille fictive, ces enfants qu'encadraient les deux acteurs, Brigitte et Michael.

A plusieurs reprises je fus contraint de m'éloigner, de m'enfermer pour ne pas voir, ne pas imaginer, ne pas me souvenir. C'est de cela que voulait que je parle le jeune journaliste et non de la manière miraculeuse et généreuse dont le film était né et non de l'histoire qu'il allait raconter. Il voulait que je fasse surgir pour lui des anecdotes, que je laisse glisser une émotion comme une larme.

Hommes de demain, comment formerez-vous ceux qui par les mots et les images dirigeront les consciences et les cœurs ? Laisserez-vous la tête et les yeux se recouvrir par la poussière dangereuse des mots et des images de violence ou bien par leur futilité perverse, comment aiderez-vous l'homme à rester lui-même et si cela se peut à devenir plus humain ?

J'écoutais parler le jeune journaliste. Ces questions toujours un peu perfides ne me blessaient pas.

Dès le lendemain de mon drame, en octobre 1970, ils m'avaient agressé de leurs questions, s'étonnant que je fusse encore en vie. Ce qu'ils auraient aimé c'est que je me suicide devant eux, dans l'éclair de leurs fhashes et devant l'objectif de leurs caméras. Je m'étais habitué à leurs manières et à leur façon d'approcher la réalité. Ils avaient besoin d'événements et de spectaculaire, le bruit et la fureur étaient la matière première de leurs articles.

Comment pouvait-il en être autrement ? Je ne le leur reprochais pas. Comment attirer le lecteur ou le téléspectateur sans faire briller devant lui les éclats d'un fait divers ? En chacun de nous il y a un enfant qui a besoin d'un conte, et les contes sont souvent cruels. Cette cruauté, cette manière brutale de présenter le monde j'en comprenais les raisons.

Mais n'y aurait-il jamais, Hommes de demain, une autre manière de voir et de dire ? Faudrait-il toujours que le projecteur éclaire les mêmes hommes, ceux qui sont sur le devant de la scène.

J'ai dit cela au jeune journaliste. Il s'est exclamé. Il riait : « Vous alors, disait-il, vous êtes dans tous les journaux, on vend votre histoire comme une bande dessinée, vous en faites un film, oh, je veux bien, vous laisser faire un film, et vous jouez les sages qui condamnent le vedettariat, ah, vous êtes vraiment unique, Martin Gray, vraiment unique... »

Hommes de demain, que penserez-vous de moi ?

Ma conscience est en paix. Il est vrai que j'ai parlé de ma vie, que j'ai attiré sur moi les regards, que je ne me suis pas enfoui dans le silence désespéré, dans cette muette désolation qui terrasse certains survivants. Pour survivre j'ai voulu témoigner et hurler. J'ai rencontré les journalistes, écrit des livres, prononcé des conférences. Mon nom est maintenant connu sur tous les continents. Mais je n'ai pas vendu ma souffrance. J'ai créé cette fondation qui doit utiliser ce que les mots et les images venus de mes malheurs m'ont rapporté. Mais ce ne serait rien encore.

J'ai pris le jeune journaliste par le bras, j'ai sans doute serré trop fort car il me paraissait inquiet comme s'il craignait que je ne le bouscule ou que je ne l'expulse. Je l'ai traîné par le petit escalier en colimaçon qui conduit à la grande salle de musique et de là vers mon bureau où une baie vitrée permet de découvrir les arbres et le parc. Il y fait frais, presque froid, mais j'aime, quand je travaille, cette atmosphère austère et cette lumière de la nature qui entre dans la pièce. Sur des rayonnages, contre le mur j'ai placé toutes les éditions étrangères de mes livres. Et cela couvre une longue cloison. J'ai des caisses pleines de lettres de lecteurs. J'ai des classeurs où s'entassent toutes ces missives qui attendent ma réponse. Lettres d'Afrique ou du Canada, lettres de France ou des États-Unis et même lettres du Japon.

Je dis au journaliste :

— Prenez au hasard, lisez, et dites-moi franchement si vous trouvez que j'ai écrit mes livres pour ma propre gloire, et quel a été leur effet, lisez !

J'ai insisté brutalement. Je voulais qu'il plonge ses yeux dans ces lignes, qu'il découvre quel était l'effet de mes livres. Et qu'il comprenne ainsi pourquoi j'avais continué et pourquoi je continue.

Il saisit une lettre. Elle arrivait de Koula-Moutou, au Gabon. Elle était datée du 12 janvier 1983. Ma lectrice était une Vietnamienne. Voici ce qu'elle écrivait : « J'ai lu depuis quelque temps vos livres... Ils m'apportent le réconfort et le courage. Je vous admire énormément. J'aimerais un jour vous rencontrer. Je suis d'origine vietnamienne. J'ai beaucoup pleuré quand j'ai lu *Au nom de tous les miens* car comme vous voyez je suis partie de mon pays un an après la chute du Viêt-nam, c'est-à-dire avril 1976, mes parents, mes frères, mes sœurs sont restés coincés là-bas... »

Le journaliste lisait. Il prit une autre lettre. A chaque fois c'était comme la même voix qui s'exprimait.

— Direz-vous cela, ai-je demandé, croyez-vous vraiment que je sois semblable aux vedettes qui font la couverture de vos journaux ? Ne croyez-vous pas que cette réalité-là — et je montrais ces cartons où s'accumulaient les lettres de lecteurs — leurs vies, doit être dite aussi, vraiment vous ne le croyez pas ?

Il répondit par quelques mots gênés.

Il savait bien que les journaux ne pouvaient pas refléter la totalité de ce qui se passait. Il existait une sorte de conformisme qui faisait qu'on répétait d'un journal à l'autre les mêmes titres et que c'était cela l'information. J'en avais bénéficié, disait-il, j'en profitais encore. Les lecteurs et les téléspectateurs étaient satisfaits. Les taux d'écoute les plus élevés n'étaient-ils pas provoqués par les feuilletons télévisés les plus simples, les plus faux et parfois les plus cruels ? Les magazines ne se vendaient-ils pas davantage quand ils présentaient sur leur couverture le destin, la belle ou la tragique histoire d'une princesse ?

— Les journalistes, continuait-il, ils suivent, ils écoutent le public, ils constatent. Vous comprenez, Martin Gray ? D'ailleurs vous n'avez pas à vous plaindre du public. Il vous est fidèle, non ? Alors les journalistes parlent de vous, c'est comme cela.

Hommes de demain, voici à nouveau la même chanson que celle qu'entonnaient ceux qui croient à la responsabilité des peuples et les accusent de tous les maux.

Hommes de demain, ceux qui parlent au nom des autres, ceux qui écrivent, ceux qui mettent en scène, ceux auxquels le talent ou la chance, l'héritage ou les circonstances, l'obstination ou le hasard ont donné le pouvoir de s'exprimer au nom des autres et d'exprimer ce qu'ils sentent, vivent et voient, ce sont ceux-là, Hommes de demain, qui portent la responsabilité.

Je voudrais que vous repreniez mot à mot ce que j'ai écrit. Si vous y trouvez une seule expression qui démoralise l'homme, une seule qui le fasse plus bas, une seule qui l'humilie, une seule qui flatte en lui la lâcheté ou l'abandon, une seule qui méprise, alors condamnez-moi. Même si vous êtes mes enfants, rayez-moi de vos mémoires. Si j'ai fait cela, je suis indigne. Je ne mérite pas d'avoir été lu et même d'avoir survécu.

Ainsi ai-je parlé au jeune journaliste. Je l'ai questionné. Pouvait-il, lui qui commençait seulement sa carrière, se retourner, regarder tout ce qu'il avait écrit, porter sur chacun de ses articles un jugement sans complaisance ? N'avait-il rien écrit qui manipule l'homme ou l'empêche de comprendre ? Qu'il s'interroge.

Il haussait les épaules. Parfois on écrivait un peu n'importe quoi, expliquait-il. Il fallait bien pousser les mots les uns derrière les autres, aller à la ligne, comme on disait dans le métier, pour vivre, non ?

Mais pour vivre, faut-il ignorer sa responsabilité ?

Le jeune journaliste était mal à l'aise. Il se passait les mains sur le front afin de rejeter ses cheveux en arrière de la tête. Il se justifiait mais je ne désirais pas l'accuser, je voulais simplement qu'il réfléchisse et ne se dissimule pas derrière le goût de ses lecteurs pour refuser son devoir.

Il faisait partie — comme moi, maintenant que j'écris et publie — de ceux, un petit nombre dans l'océan des anonymes, des bâillonnés et des muets, qui pouvaient élever leurs voix. A chaque mot écrit et prononcé ne devait-on pas avec angoisse se demander : « A quoi cela sert-il ? Pour quoi et pour qui j'utilise ce pouvoir qui m'est donné d'écrire et de dire, de m'exprimer ? Est-ce que je ne gaspille pas cette possibilité offerte ? Est-ce que je ne contribue pas à serrer davantage le mouchoir qui ferme la bouche à tant de mes contemporains ? Ce que j'écris, ce que je dis les aide-t-il à comprendre, à devenir plus sûrs d'eux-mêmes ? Est-ce que je libère les forces de la vie ou bien est-ce que je favorise cette gangrène de violence et de mort qui colle à la peau de l'homme ? »

Voilà notre devoir à nous qui parlons et écrivons, qui produisons des images, qui mettons en scène l'histoire et les événements.

J'ai souvent réfléchi à cela, au rôle des écrivains, des professeurs, des cinéastes, de ceux qu'on nomme les intellectuels et les artistes, les créateurs. C'était avec mon ami Max Gallo, historien et romancier, l'un de nos sujets de conversation. J'apprenais de lui certains éléments de l'histoire que j'ignorais. Il avait étudié les fascismes. Il connaissait bien ce XXe siècle qu'il avait enseigné et raconté. Il m'avait aidé à écrire *Au nom de tous les miens.* Je ne partageais pas toutes ses idées mais je le savais sincère. Il avait la volonté de rester vrai. Je l'estimais pour cela, même si parfois je pensais qu'il se trompait. A l'entendre j'étais parvenu à une conclusion que je m'efforçai de lui faire partager. En l'homme et donc dans l'histoire des hommes existaient le Bien et le Mal, le plus-humain et le moins-humain, les hommes du premier monde et les hommes-germes ou si l'on veut en chaque homme la cendre et le diamant, la boue et le ciel. Tout cela était indissociablement lié.

Nous marchions ensemble devant ma maison des Barons, nous parlions. Cela faisait des années que nous parlions depuis qu'il avait recueilli mon récit, après mon drame et qu'ensemble nous avions écrit *Au nom de tous les miens.* A la manière dont il m'avait écouté, dont il avait traduit mes textes, dont il avait su rendre ce que je lui racontais, j'avais découvert sa sensibilité et sa connaissance de l'homme et de l'histoire. Je savais qu'il deviendrait un romancier et je n'avais pas été surpris par le succès de ses livres. Nous avions la même conviction de notre responsabilité de créateur, d'hommes qui avaient la parole.

Je me souvenais de ces conversations en face du jeune journaliste, je cherchais à lui faire saisir l'importance de chacun des mots qu'il traçait. Il avait la charge d'interpréter. Même son commentaire d'une simple affiche avait de l'importance. S'il trouvait normal qu'on y méprise ou ridiculise la femme, il allait dans le sens du moins humain.

— Vous exagérez, Martin Gray, vraiment.

Je devais lui dire qu'il n'y avait pas de frontière nette, qu'on passait insensiblement, sans même s'en rendre compte la simple concession, de ce qui paraissait anodin, à l'odieux, à l'éloge de la violence et du crime. Je lui décrivais cette affiche de présentation d'un film où l'on voyait un acteur tendant la main et recevant de son propre double — l'acteur était ainsi représenté deux fois sur l'affiche — un revolver de gros calibre. Ces affiches gigantesques s'étalaient sur le mur de toutes nos villes. Ce n'était rien, n'est-ce pas anodin ? Le journaliste approuvait. Une affiche qui n'était même pas vraiment violente ou scandaleuse, rien, presque rien, disait-il. Mais la même semaine on arrêtait le fils de l'acteur et on découvrait dans la voiture volée qu'il conduisait un revolver de gros calibre au numéro d'ordre limé, volé lui aussi.

— Voilà, voilà, j'insistais — voilà où se mêlent réalité et imaginaire. La manière dont vous, moi, nous présentons les faits, dont nous insistons sur tel ou tel aspect peut tout changer. Comment lui faire comprendre ?

Les hommes, l'histoire étaient comme pris dans un grand fleuve qui coulait, bouillonnant, produisant naturellement la violence et la cruauté, le fanatisme.

Il était si simple quand quelqu'un s'opposait à vos idées de le supprimer ? Qu'était le meurtre sinon la mise en œuvre de cette loi instinctive : j'écrase, je nie ce qui me gêne, je vole ce que je désire.

La seule règle est celle du plus fort qui tue, viole, prend. A cela peu à peu, siècle après siècle, les hommes-germes, les plus humains avaient opposé la loi, la morale. Ils avaient canalisé le fleuve pour qu'il irrigue au lieu de dévaster, qu'il produise de l'énergie au lieu de bondir de rochers en rochers et de tout balayer sur son passage.

Et le rôle des créateurs, des journalistes, des professeurs, le rôle des intellectuels, le rôle de tout homme mais d'abord de ceux qui avaient pris la parole par vocation ou métier était de renforcer ces digues, ces écluses, ces barrages et non pas de les saper en faisant l'apologie de la violence et de la destruction. Car le fleuve, les hommes instinctivement, l'histoire faisaient renaître à chaque seconde la violence et l'injustice, la cruauté et la folie destructrice.

Je parlais avec force au jeune journaliste.

J'employais les images les plus simples pour qu'il saisisse ma pensée. Nous étions une voiture lancée sur une route en pente. L'effort des hommes de réflexion, le devoir des créateurs, des enseignants, des journalistes étaient d'alerter les passagers, d'annoncer l'abîme, de freiner, de tenir le volant, de ralentir cette course et de diriger la voiture — ou le fleuve — vers des zones calmes où la vie serait promenade, le torrent lac. Les fanatiques, les journalistes sans morale, les intellectuels emportés par leur passion étaient au contraire ceux qui gesticulaient, hurlaient qu'on n'allait pas assez vite, qu'il fallait accélérer, chanter en chœur en ne se souciant pas du volant ou de la direction. Ils vantaient la beauté de l'abîme, ou le plaisir d'avoir les cheveux dans le vent, en se penchant à la portière du véhicule.

Je sentais que les mots que j'employais ne réussissaient pas à convaincre mon interlocuteur. Pour accepter ce que je lui disais il eût fallu qu'il se remette en cause, qu'il devienne vigilant à ce qu'il écrivait, que chacun de ses mots soit pesé avant d'être écrit, qu'il sente le devoir et la responsabilité sur lui, et qu'il considère son métier comme une mission.

Qui aurait pu lui enseigner cela ?

Qui aurait pu faire de cet enseignement la condition de l'exercice des professions d'influence, de celles qui orientent les autres hommes ? Qui aurait pu lui inculquer l'idée que le droit de parler et d'écrire donne des devoirs plus lourds ?

Je me souviens du sort de certains écrivains français qui pendant la guerre s'étaient engagés aux côtés des nazis qui occupaient leur pays. Ils avaient par leurs livres exalté le racisme, justifié les crimes parce que, disaient-ils, les Juifs étaient des êtres inférieurs, et qu'il s'agissait d'un massacre anodin, d'une « bagatelle ».

Ils avaient écrit dans les journaux des articles où jour après jour, ils truquaient, peut-être sans le savoir, la vérité. Quand le pays avait été libéré certains d'entre eux avaient été emprisonnés et l'un d'eux, homme de grand talent, fusillé.

Je suis hostile à la peine de mort.

Je crois que le châtiment qu'on inflige ne doit pas reproduire le crime. Et en l'homme il faut laisser cheminer la réflexion et le remords. Une société ne peut tuer sans être à son tour barbare. Je le disais à Max Gallo, mais j'approuvais qu'on ait voulu châtier ces hommes d'esprit, ces hautes voix pour ce qu'ils avaient dit et écrit.

Pourquoi se serait-on contenté de punir les jeunes hommes d'une vingtaine d'années qui, ayant cru ce qu'ils avaient lu sous la plume de leurs maîtres à penser et des écrivains qu'ils admiraient, s'étaient engagés dans l'action et étaient devenus des criminels ou bien étaient morts de leur engagement ?

Le talent et même le génie ne sont pas pour moi des excuses mais au contraire des circonstances aggravantes.

Celui que le talent couronne se désigne à la gloire mais doit aussi supporter les conséquences de sa notoriété. Le mot d'un poète pèse parfois plus que la balle d'un fusil, le créateur doit le savoir.

J'en étais si convaincu que je ne pouvais admettre que certains écrivains, parce qu'ils recherchaient la gloire ou voulaient conquérir des lecteurs, mentent, s'inventant de fausses destinées.

L'un d'eux, glorieux, reconnu comme un héros, s'était suicidé au soir de sa vieillesse parce qu'il ne supportait pas les infirmités qui s'abattaient sur lui.

Acte de courage ?

Je ne jugerai jamais un homme qui choisit ainsi de mourir. Cet écrivain-là avait jugé, seul, et s'était condamné. Il avait voulu que comme un héros antique on incinère sa dépouille et qu'on disperse les cendres sur le forum impérial à Rome.

La scène était théâtrale et belle.

Mais voilà que, quelques années après sa mort, on publiait les lettres de ce même auteur. Toute sa vie il avait prétendu avoir eu une conduite héroïque à la guerre. Il avait représenté le modèle de l'artiste courageux qui sait ce qu'est le front, les obus et les tranchées. Il avait exalté le combat, les vertus guerrières. Et quand le rideau se levait sur la vérité de sa vie, on découvrait un homme qui cherchait à fuir la bataille, à obtenir des décorations tout en restant à l'arrière dans les états-majors et en laissant s'engluer et mourir dans la boue des premières lignes les jeunes paysans sous l'uniforme.

Je condamnai ces mensonges.

Je n'étais pas un critique littéraire et je ne pouvais juger de la valeur des œuvres de cet auteur-là, mais pour moi, même si ses livres avaient, disait-on, la grandeur austère des statues de marbre, il n'était que plâtre creux.

Hommes de demain, je prends le pari, que dans votre monde ou peut-être encore plus loin dans celui à venir, des lecteurs proclameront que ces œuvres sont vides. Ils diront : Il faut le vrai, le sincère pour qu'une œuvre soit pleine et sonne juste. Ce qui est faux n'a aucune valeur.

Il me semblait parfois que la plus modeste des lettres que je recevais de l'un de mes lecteurs était plus importante et plus noble, plus essentielle aussi à la marche du monde, malgré les apparences, que tant de prétentieuses et inutiles créations gonflées de savoir.

Pour l'une de ces lettres où s'exprimaient douleur et espoir, où une voix parlait juste et sans masque, je donnais tous les livres d'un poète truqueur de vérité, tous les articles d'un grand journaliste dissimulateur du réel, tous les écrits d'auteurs qui refusaient leurs responsabilités.

Hommes de demain, aurez-vous comme moi découvert que mieux vaut la vérité de l'homme simple aux sacrifices de certains hommes de savoir ?

Je parlais, je parlais.

Le jeune journaliste hochait la tête. Il laissait ses cheveux retomber sur ses yeux. Il m'écoutait avec une attention nouvelle. Je crois que les mots que j'employais, l'un après l'autre, s'insinuaient en lui.

Je lui tendis une lettre qui m'était parvenue il y a quelques semaines et à laquelle je n'avais pas encore répondu. Elle m'accablait. Je la relisais. Je commençais à écrire, puis j'abandonnais. J'avais téléphoné à mon éditeur, afin qu'il me renseigne sur la situation juridique du livre dont il était question dans cette lettre. Il m'indiquait qu'il n'était pas interdit, que des procès engagés par des familles contre leurs auteurs avaient échoué.

La lettre provenait d'une ville de l'Ouest de la France. L'écriture en était claire et douce. Je recopie ici cette lettre dans son intégralité. Il faut que chacun entende ce cri de détresse, que chacun reconnaisse la sombre dignité de cette mère en deuil.

Madame M.
à
Monsieur Martin Gray
Les Barons

Cher Martin,

Depuis de nombreuses années j'ai tous vos livres et ils sont pour moi guides et réconfort. J'ai eu de nombreux enfants (neuf) que j'ai tous acceptés de grand cœur car, comme vous, je suis passionnée de la vie.

Hélas, ainsi que vous l'analysez si bien dans votre œuvre, nous portons en nous les peurs et les problèmes de nos parents.

Parmi mes fils deux particulièrement fragiles ont été submergés par l'ambiance souvent malsaine de la société actuelle — l'un, Bruno, est parti à 17 ans 1/2 et ne nous a jamais donné de nouvelles, il va y avoir deux ans à Noël, le second, Pierre, à propos duquel je vous écris, vient de se suicider... Que de fois j'ai essayé de lui communiquer votre espoir par vos livres. Mais, après une période où il se sentait mieux, il les laissait de côté et était à nouveau emporté par les films et les livres négatifs qui inondent nos villes.

A 22 ans, étudiant en sciences physiques, mais peu passionné par elles, de tempérament hypersensible et souvent dépressif, il s'est, en compagnie d'un camarade qu'on a sauvé de justesse, inspiré d'un livre qui donne les moyens de mettre fin à ses jours.

Les deux jeunes gens, suivant les directives de l'ouvrage, avaient...

Sous prétexte de liberté d'expression et d'action il semble qu'on laisse de plus en plus actuellement circuler n'importe quoi.

Si les champignons vénéneux peuvent provoquer la mort du corps et si par conséquent on fait vérifier sa cueillette par le pharmacien, ne serait-il pas urgent que, de la même manière, les publications délétères soient censurées afin de protéger les êtres vulnérables ?

Ne pouvant hélas plus rien pour protéger notre fils nous songeons aux autres familles dont un ou plusieurs membre sont psychiquement fragiles. (Une personne de notre connaissance a déjà acheté ce livre pour se tuer sans souffrance si on diagnostique chez elle un cancer.) Nous voudrions œuvrer pour que dans ce pays qui proclame LIBERTÉ, ÉGALITÉ, FRATERNITÉ, le droit à l'expression de certains (dont l'équilibre mental reste à prouver) soit tempéré par le droit à la protection des autres.

C'est en toute confiance, cher Martin, que je vous soumets le problème ; le livre qui a assassiné notre fils n'est, hélas, pas le seul de son espèce, et les publications totalement « a-morales » (avec applications pratiques) se multiplient.

Nous sommes persuadés qu'un gouvernement qui veut sauvegarder chez les citoyens le sens de la dignité et de la responsabilité humaines — quelles que soient par ailleurs les options philosophiques de ses membres — ne peut laisser sans danger pour la nation et singulièrement cette fraction si importante et si influençable qu'est la jeunesse, circuler de tels poisons mentaux.

Vous qui avez toujours été, quelle que soit la tourmente, un défenseur passionné de la vie, nous aiderez, j'en suis sûre, en usant de votre influence humaine et spirituelle.

J'attends avec confiance que vous nous conseil-

liez dans notre action et nous aidiez à la faire aboutir.

Du fond de notre cœur brisé de chagrin et cependant plein d'espérance, nous vous remercions, cher Martin.

Que la mort de notre fils ne demeure pas vaine !

Cette lettre posait dans sa simplicité tragique, avec mesure, tous les problèmes que je venais d'évoquer. La liberté irresponsable de ceux qui écrivent y était confrontée au droit à la protection des autres et à leur indépendance. Car je partageais les sentiments de cette mère : il fallait élever des barrières devant ceux qui, au nom de la liberté, exigeaient qu'il soit possible de tout dire et de toute faire.

Hommes de demain, j'espère que vous aurez construit un monde où les hommes n'auront pas besoin de règlements et de lois pour savoir où ils doivent s'arrêter parce qu'au-delà commence l'atteinte à la liberté des autres.

Je lance un mot, parce que je suis libre de le lancer dans la direction que je choisis, mais ce mot est une pierre, il frappe un enfant au front. Ma liberté dont j'étais si fier, mon choix que je revendiquais sont devenus crimes.

Hommes de demain, peut-on laisser des hommes bombarder de pierres leurs contemporains les plus vulnérables ?

Hommes de demain, il n'y a pas de liberté sans responsabilité et solidarité.

— Mais alors — le jeune journaliste se levait secouant la tête — mais alors, répétait-il, la censure ?

Il s'enflammait. Il enfourchait le cheval fougueux de la défense de la liberté d'expression. Il parlait de dictature et de l'ordre moral qui étouffe toute création, des journaux si gris des pays totalitaires, des risques qu'il fallait prendre pour que la liberté circule comme un sang rouge dans toute la société. Il m'interpellait : comment pouvais-je, moi, l'ancien des camps de concentration, moi qui avais connu le totalitarisme, être le partisan de la censure ?

Je le laissai parler.

Je reconnaissais là cette manière fausse qu'ont souvent les hommes du premier monde de présenter les faits. Un principe — la liberté — devient un alibi. Un mot — la censure — un épouvantail qu'on brandit devant tous ceux qui tentent de défendre et la liberté et la responsabilité.

Il fallait poser des questions simples : La liberté pour qui ? La liberté de qui ? Et pour quoi faire ?

Mais il protestait. Il fallait, disait-il, que chacun choisisse comme il l'entendait. Dès que l'on construisait un système, il enfermait. Liberté, liberté, ce mot lui emplissait la bouche, mot commode et mot alibi.

Je lui dis simplement que j'étais hostile à la

liberté du renard entrant dans le poulailler où vivait une poule libre. Car si le renard était libre de pénétrer ainsi dans un enclos cela voulait dire que la poule, dite libre aussi, ne l'était plus et qu'elle était condamnée à mort.

Hommes de demain, ces vieux débats de notre premier monde, seront-ils encore les vôtres ? Ou bien par une réflexion de chacun, par un enseignement dès l'origine de l'homme, aurez-vous établi l'équilibre entre les droits et les devoirs, la liberté et la responsabilité, ce vieux conflit qui nous partage ?

Car là est aussi la condition d'une société plus humaine. Il faut oser dire que c'est parfois la liberté qui opprime et la loi qui protège. A vous de savoir mesurer.

Dans les années où j'écrivais il y avait tant d'exemples, Hommes de demain, de perversion de la liberté. J'ai cité la lettre de cette mère endeuillée, mais je pourrais évoquer d'autres affaires. Le faut-il ? Elles remplissaient les journaux de notre premier monde. Les rédacteurs en chef en bariolaient leurs premières pages, soucieux d'attirer par le scandale de nouveaux lecteurs englués par les titres et les photographies comme des mouches dans le lait.

Mais, Hommes de demain, comment ne pas parler de ces enfants qu'on livrait à des adultes, dont certains affirmaient que bien que mineurs — beaucoup avaient à peine une dizaine d'années — ils pouvaient être libres, face à des adultes, et nouer avec eux des relations sexuelles.

On me dit, mais je ne l'ai pas cru, que des intellectuels de renom avaient défendu ces pratiques en invoquant une fois de plus ce mot de liberté. On me dit — et je sais que c'est exact — que tel ou tel écrivain si soucieux de sa renommée empruntait les boulevards parisiens en quête de jeunes proies. Et tel de ses disciples exalte d'une voix trop claire la beauté virginale des enfants.

Et je lis ici et là que des milliers d'hommes, poussés par le désir et venus de nos pays riches, débarquent en des contrées asiatiques lointaines afin d'y satisfaire leur passion pour les enfants. Certains ont osé écrire — j'ai lu leurs déclarations — que les petits garçons et les petites filles — dix, ans, oui, souvent à peine âgés de dix ans — qu'ils soudoyaient, qu'ils invitaient à vivre avec eux pour quelques jours ou quelques mois étaient libres, consentants, heureux.

Hommes de demain, la honte me submerge pour ces hommes du premier monde, mes contemporains, mes frères donc que leur égoïsme et leurs perversions aveuglaient. Et j'ai honte pour ceux qui, sans être les acteurs de ces vilenies, les laissaient faire, les racontaient avec complaisance ou les approuvaient.

Comment ne pas voir que ces enfants de « l'envers du monde », affamés et démunis, étaient à la merci, pour un pourboire, de ces riches voyageurs d'un genre étrange.

Comment ne pas savoir que dans certains de ces pays des commerces d'enfants étaient organisés, les familles dans le dénuement le plus complet louant et vendant leur progéniture et celle-ci dirigée vers les quartiers « chauds » des grandes villes où venaient se perdre ces voyageurs d'Europe ou d'Amérique, lourds de désirs et riches de monnaie.

Et l'on osait appeler cela liberté !

Et certains vantaient les relations qui s'établissaient entre l'enfant et l'adulte. Et l'on multipliait les théories sur la sexualité enfantine, la nécessaire indépendance et autonomie qu'il fallait laisser à ces enfants, l'émerveillement et la joie qu'ils éprouvaient à vivre avec des adultes d'un autre continent, le bonheur des familles, tout à coup sauvées de la misère par la générosité des « amis » de leurs enfants.

Hypocrisie ou inconscience ? Je ne sais pas tant est grande l'impudence avec laquelle de telles affirmations sont répétées.

Comme s'il n'était pas évident que l'inégalité entre l'enfant et l'adulte, dans son développement intellectuel et physique, rendait impossible l'exercice de la liberté de l'enfant.

La relation d'un homme et d'un enfant ne peut être que celle de maître à esclave, même si l'esclave dans son inconscience « joue », innocent, et ne se rend pas compte qu'à tout jamais on l'influence, qu'à tout jamais on le marque et qu'on se sert de lui.

Que dire quand, à cette inégalité qu'impose la physiologie, on ajoute l'écrasante et puissante autorité que donne la richesse sur le pauvre ?

Et l'on ose parler de liberté pour ces enfants livrés, et l'on ose vanter ces relations dites « d'amour » alors qu'il ne s'agit que de servitude.

Hommes de demain, vous jugerez peut-être que je parle avec trop de violence et je ne sais quel monde vous aurez construit à partir de ce que nous vous aurons légué.

Mais je voudrais que vous partagiez mon indignation et ma condamnation, que vous protégiez les enfants et ne les abandonniez pas à une liberté feinte et truquée qui ne serait que le moyen pour les plus forts de régner sur eux, de les soumettre à leur fantaisie.

Car la liberté et la douceur peuvent aussi n'être que les masques de la violence et quand règne l'inégalité il n'est pas de libre choix.

Cessant d'écrire, je lève la tête.

Je suis dans mon bureau. Par la baie vitrée en forme d'arcade j'aperçois le parc qui s'élève en pente douce. Mes enfants jouent sous les arbres. Je suis saisi de terreur à la pensée qu'ils pourraient un jour, mon fils et mes filles, succomber à la séduction et à la pression d'un homme ou d'une femme de vingt ou trente ans leur aîné ; qu'au moment où ils atteindraient à peine l'âge de la puberté, dix ou douze années, des rapaces endurcis se jetteraient sur eux !

J'admets qu'à sa majorité un adolescent soit libre de choisir. Et même si je déconseille la route qu'il prend je ne me sentirais pas le droit de l'interdire. Mais ces mœurs qui consistent à livrer des petites filles et des petits garçons, je les sens héritées de la barbarie. Comme si l'on avait repeint pour les rendre possibles aujourd'hui ces trafics de jeunes esclaves, en libre association. Je regarde mes enfants jouer.

J'entends leurs voix joyeuses. Je ferme les yeux. Je confonds dans la même pensée mes enfants d'hier et ceux d'aujourd'hui, et peut-être ceux qui naîtront demain, porteurs de tant de possibilités, symboles d'avenir.

Tout à coup le visage de Samuel envahit ma mémoire. C'était un adolescent brun que j'avais connu en Allemagne après la guerre. Son visage avait la finesse et la régularité de ceux d'une fille, ses lèvres très fines étaient deux traits roses à peine esquissés dans sa peau mate. Il était grand et mince, les poignets déliés, d'une grâce touchante, d'une gaieté vive, la mélancolie s'abattait sur lui parfois comme un orage d'été le laissant couché plusieurs jours, le visage tourné vers le mur, oubliant que j'étais là dans la même chambre que lui.

Je le secouais, je posais à côté de lui des fruits et

des tablettes de chocolat qui provenaient de mes échanges avec les soldats américains. Il ne bougeait pas, il ne répondait pas. Je savais qu'il ne dormait pas restant les yeux ouverts, perdu dans je ne sais quel souvenir.

C'était un temps où l'on ne questionnait pas un jeune Juif survivant.

Chacun d'entre nous portait en lui trop de tempêtes. Quand l'une se levait courbant l'un d'entre nous, on essayait seulement d'être présent et de le soutenir. Mais Samuel refusait même l'appui de l'amitié.

Puis le ciel redevenait serein. Samuel s'étirait, se levait comme s'il échappait à un court sommeil, mangeait avec avidité et s'interrogeait sur l'état de mes affaires. Il était joyeux et actif, bondissant sur sa moto avec une fougue qui me surprenait après sa longue immobilité. Il disparaissait pour plusieurs heures, revenait après avoir réalisé plusieurs affaires avec un talent extraordinaire. Ses yeux brillaient : « Jc m'organise », disait-il, employant le mot qu'on utilisait dans les camps.

Un soir, rentrant de la ville dans cette petite maison qui nous servait de domicile à la limite des faubourgs, je l'ai trouvé pendu à la rampe de l'escalier.

J'étais arrivé trop tard, à quelques minutes près, comme tant de fois déjà quand dans les baraques des camps, nos camarades, au cœur de la nuit, remettaient leur vie à Dieu, préférant tout à l'enfer que les hommes avaient construit pour eux sur cette Terre.

Mais la paix était revenue et la mort de Samuel me paraissait intolérable.

Son corps quand je le tins dans mes bras avait encore l'apparence et la chaleur de la vie, mais je sentais déjà les raideurs froides de la mort tendre les muscles et transformer l'énergie vitale en matière.

Samuel, Samuel, je n'ai connu ton histoire que plus tard, quand rassemblant dans ta valise les quelques objets qui t'appartenaient j'ai trouvé ce carnet noir à feuilles mobiles et quadrillées que tu avais rempli, peut-être pendant que je dormais ou bien quand, contraint de m'absenter, tu restais seul, couché sur le lit, les yeux grands ouverts, le visage tourné vers le mur.

Hommes de demain, je n'ai jamais jusqu'à ce jour parlé de Samuel, mais puisque la suite des phrases, l'enchaînement des mots m'ont conduit jusqu'à lui, comment ne pas dire ce qu'il vécut et ce qu'il fut ?

Hommes de demain, j'aimerais que vous gardiez son histoire présente pour la répéter à ceux qui se jouent des enfants, se servent d'eux et parlent de liberté.

Il était, Samuel, de ces enfants juifs raflés qu'on destinait à la mort. Il avait été pris dans une ville du Sud de la France, Nice. Et le hasard veut que j'habite non loin de cette cité. Dès que je me suis installé dans la région avec Dina, il y a maintenant des années et des années, j'ai voulu parcourir les rues de la ville, retrouver le chemin de la synagogue puisque c'est dans ce quartier j'imagine qu'on l'a pris, avec d'autres.

On l'avait jeté dans un train. Il avait eu de la chance : ni piétiné, ni étouffé, ni noyé par l'angoisse et la folie. Il avait voyagé la bouche collée sur une fente par où l'air et l'espoir se glissaient jusqu'à lui.

Quand les portes avaient été ouvertes il était sorti l'un des premiers. Les chiens que tenaient les gardiens tirant sur les chaînes, montrant leurs crocs. Et dans le carnet noir il ne disait rien, Samuel, de sa terreur. Une main s'était posée sur son épaule, impérieuse, celle d'un officier, qui le mettait à part, parmi d'autres jeunes garçons que l'on poussait bientôt vers un baraquement où on les parqua, plusieurs jours.

Bientôt il fut choisi pour servir dans l'une de ces maisons du camp où les perversions des bourreaux se donnaient libre cours.

Il avait la vie sauve. On le nourrissait. Il dormait au chaud. Il pouvait à chaque instant être abattu, mais il plaisait, beau, silencieux, efficace. Enfant qu'on avait arraché à la mort et qu'on gardait en vie pour mieux tuer son âme. Esclave comme il en fut tout au long de l'histoire des peuples et comme il en est encore dans ces régions déshéritées où parfois vont ces touristes souriants qui ne savent même pas qu'ils se conduisent comme des bourreaux. Et qui se vantent de leur générosité et de leur sensibilité.

Samuel survécut deux années, jouet des uns et des autres, serviteur, acteur et témoin qui sauvait sa vie en se pliant aux désirs des maîtres.

La libération vint qui devait rendre à chacun de nous la paix. Mais comment vivre avec ces souvenirs, ces scènes qui revenaient envahir la mémoire de Samuel ? Cette mort qu'il portait en lui et cette sensation, qu'il avait, en subissant, abdiqué ce qui faisait de lui un être humain ?

Alors il s'abattait sur son lit, la tête tournée vers le mur afin de tenter d'oublier et sans doute le poids du passé devenait-il à ces instants-là plus lourd encore.

Un jour, ce jour-là, il cessa de pouvoir survivre.

Hommes de demain, si j'ai fait surgir Samuel de son passé c'est pour que vous sachiez ce que l'on a fait des enfants dans notre premier monde. Et pour que vous disiez aussi à ceux qui prétendent se servir d'eux, librement, joyeusement, qu'il n'est pire mensonge.

Pour moi l'enfant de Thaïlande ou de Birmanie celui d'Indonésie, qu'un homme riche s'en va acheter ou louer pour son plaisir n'est pas différent de Samuel. Et peu importe qu'il n'y ait pas de fil de fer barbelé autour de lui, qu'il ne soit pas enfermé dans un camp de concentration, qu'il paraisse libre, libre de s'enfuir de l'appartement où il vit avec son bourreau affable.

Il est, cet enfant, comme Samuel, un prisonnier de sa misère, de son enfance, de l'inégalité.

Il est victime.

Hommes de demain, faites que plus jamais, et quel que soit le nom qu'il porte, un enfant de votre monde soit le frère malheureux de Samuel.

8

« Demain, je recommencerai à peindre »

Le visage de Samuel m'est revenu souvent dans mes nuits d'insomnie. Il les provoquait même. Je dormais et tout à coup, le cauchemar se formait. Au début ce n'était que la ronde joyeuse de mes enfants à laquelle se mêlait Samuel, puis le ciel au-dessus de leurs têtes s'obscurcissait, leurs corps se déformaient comme si les flammes, sans fin, revenaient pour tordre leur apparence, et je commençais à souffrir. Les visages, et d'abord celui de Samuel se cisaillaient, bouches énormes, yeux éclatés, comme si la souffrance en modelait les traits. Je me réveillais en sursaut. J'avais le sentiment que sur les murs de notre chambre se peignaient des visages et des corps torturés, exprimant par ces protubérances, ces yeux étrangement placés toutes les vicissitudes de leurs vies.

Et un jour j'entrai à Notre-Dame de Vie.

Hommes de demain, je ne sais quel sera votre manière de vous représenter notre premier monde. Comment nous imaginerez-vous ? Comment évaluerez-vous nos souffrances, devinerez-vous ces chemins de croix qu'il nous fallut parcourir, nos joies et nos désespoirs ? Saurez-vous combien nous fûmes déchirés et contradictoires ?

J'aimerais que vous regardiez notre monde et l'imaginiez avec les yeux de ce peintre poète, de ce génial inventeur et découvreur que fut Pablo, le Dieu des couleurs et des formes, Pablo Picasso, le géant, ce Jupiter qui recréait ce que nous étions.

J'entrai donc à Notre-Dame de Vie, sa maison située à quelques kilomètres de la mienne et je vis parmi ces éclats de vision que sont les tableaux du peintre, des visages, des corps qui ressemblaient à ceux de mes nuits.

Silhouettes de cauchemar ? Le mot ne convient pas. Formes de cassure et de douleur, expression exacte de la division que nous, hommes du premier monde, portons en nous. Je n'ai pas osé dire cela à Jacqueline Picasso qui m'accueillait dans sa maison avec l'hospitalité généreuse des femmes vraies, qui n'ont jamais été qu'elles-mêmes, donnant leur force, leur enthousiasme et leur jeunesse à ceux qu'elles aimaient.

Je me souvenais d'avoir vu Jacqueline et Pablo Picasso, un jour à Cannes, au bord de la mer et j'avais été bouleversé par ce couple rayonnant, elle, avançant sur la pointe des pieds comme si elle dansait, lui, solide et fort, les yeux comme deux mondes lumineux éclairant tout le visage. Ils se tenaient par la main et c'est lui qui semblait lui donner cette grâce, cette légèreté qu'elle avait dans sa marche et elle, en le regardant, elle paraissait lui communiquer cette force vitale qu'ont les femmes aimantes.

Puis Pablo le Géant mourut.

Un après-midi dans un magasin de Cannes, une femme vint vers moi, les mains tendues. Je la reconnus immédiatement malgré les années. Elle avait cette même façon dansante de marcher, ce même port de tête, le menton levé, les yeux droits. Elle se présenta comme si j'avais pu ignorer qui elle était : Jacqueline Picasso. Elle avait lu mes livres, disait-elle, ils l'avaient aidée à surmonter ce tremblement de vie qu'avait été pour elle la disparition du Géant avec qui elle avait vécu. La mort de Pablo le Géant avait laissé un tel vide, un abîme, qu'elle avait cru y disparaître elle aussi, mais peu à peu — et mes livres avaient joué leur rôle, prétendait-elle — elle avait recommencé à vivre avec Pablo, entouré de ses toiles, de cette présence si forte, si vivante qu'elle ne rêvait jamais de lui mort. Il était près d'elle, avec elle, à chaque instant. Il habitait avec elle, dans leur maison, cette bien nommée « Notre-Dame de Vie ».

Jacqueline m'ouvrait l'une après l'autre les pièces de sa demeure et je comprenais combien la vie avec Pablo le Géant, Pablo le sorcier, avait dû avoir la beauté inventive des fables.

Chaque portrait de Jacqueline, et ils se multipliaient sur le mur, exprimait la joie, la vigueur, l'amour et la vie. Dans ces tableaux tout était harmonie et apaisement, le visage avait cette beauté tranquille des femmes douces, aimantes et aimées. Et ces toiles s'opposaient à celles où se reflétaient la violence et la douleur du monde, en même temps que la vigueur de la poussée vitale.

Il n'était pas une de ces œuvres qui ne portât la marque de notre monde. Mais aucune n'était un reflet, l'une de ces plates imitations, de ces ternes lectures que produisent certains peintres. Il ouvrait notre premier monde comme on le fait d'un fruit pour en montrer la pulpe et le noyau. Chaque chose était en même temps présentée dans son apparence visible et dans son mystère intérieur. Les visages avaient cette double vérité et c'est ce qui les rendait parfois si proches, pour moi, de celui de Samuel. La douleur et la force et la joie et la souffrance s'y mêlaient. Les couleurs noires et rouges, vertes et jaunes avaient les éclats de la vie et de la mort. Pablo le Géant avait pris dans ses yeux et ses toiles le Bien et le Mal du monde.

Il haïssait la guerre, me disait Jacqueline.

Il me suffisait de la regarder, de l'écouter, elle si douce, pour comprendre pourquoi ils s'étaient tant aimés. Elle incarnait pour lui la Femme dans toute sa générosité, sa spontanéité et sa vitalité féconde.

Pour elle, il était le créateur, qui d'un trait de couleur fend le monde et le donne à voir.

Elle me guidait dans Notre-Dame de Vie. Elle me montrait sur le sol les mille taches de peinture qui s'étaient accumulées là où Pablo le Géant avait peint. Sur l'accoudoir d'un fauteuil elle avait conservé les traces brunes de ses teintes. Elle inventoriait chacune de ses traces non par un souci de classement ou d'évaluation d'une richesse de toute façon considérable, mais pour rassembler tous les signes de la vie de Pablo et que ces signes demeurent comme étincelles de vie.

Hommes de demain, dans les musées de l'avenir vous conserverez, je le sais, les mille toiles du géant, les cent portraits de Jacqueline, notre monde vous sera révélé par sa main inventive.

Mais vous posséderez plus, Hommes de demain, car l'œuvre de Pablo le Géant contient tout le mystère du créateur. Hommes de demain, ne regardez pas seulement ces toiles comme l'expression d'un peintre qui a inventé le monde mais aussi comme des témoignages sur ce qu'est un homme du haut monde, un homme-germe, un homme-promesse — et Pablo le Géant fut tout cela — dans ses rapports avec les choses, avec la vie et avec la femme.

Hommes de demain, méditez l'exemple de Pablo le Géant.

Jacqueline me racontait et j'écoutais son récit, bouleversé par son visage si émotif et si sincère. Ses yeux regardaient, au-delà de moi, un passé qu'elle ne cessait de revivre. Le jour de la mort de Pablo, m'expliquait-elle, il s'était réveillé et avait dit :

— Demain je recommencerai à peindre.

Toute la force mystérieuse du créateur à jamais porté vers l'avenir, dirigé vers demain, résonnait dans cette phrase à l'accent étrange, comme si la mort était seulement une ouverture de plus. Je l'ai écrit dans le *Nouveau Livre :* pour ceux qui savent, ceux pour qui la vie est projet, et l'histoire des hommes une marche orientée vers le plus humain, la mort est une seconde naissance.

Pablo le Géant, j'en suis sûr, était de ceux-là. Sa peinture était inspirée par une perception des secrets de la matière et des mystères des êtres. Au fur et à mesure que Jacqueline Picasso me faisait découvrir des toiles inédites et m'enseignait ainsi l'art de Pablo, je mesurais mieux le renouvellement permanent qu'avait été sa vie de créateur. Il ne s'était jamais arrêté à un succès. Jamais il n'avait répété. Il s'était laissé porter par le courant de l'invention, la spontanéité réfléchie de l'artiste. A écouter Jacqueline, j'appréciais aussi l'appui inestimable qu'avait dû représenter pour lui son amour. Il avait enfin trouvé la paix non dans la tiédeur des sentiments comme cela arrive parfois, mais dans la passion maintenue vive, comme une danse qui ne se termine jamais, comme une œuvre toujours ouverte.

Aller à Notre-Dame de Vie, c'était pour moi comme feuilleter le livre de la vie de Pablo le Géant.

L'amour, Hommes de demain, s'y lisait à chaque page. Et je voudrais que, pensant à cette œuvre, vous rendiez hommage à la femme qui est derrière chaque instant, qui a permis à Picasso cette joie d'invention et cette sérénité qui se révèlent dans chacun de ses tableaux. Il confirmait, par sa vie, ce que je sais pour l'avoir vécu, qu'un homme n'est rien sans une femme, que l'homme et la femme s'épanouissent dans l'amour vivant qu'est un couple. Et Pablo le Géant et Jacqueline, chaque toile en portait témoignage, formaient l'une de ces unions créatrices qui changent la vie de chacun des partenaires.

Cela supposait qu'entre l'homme et la femme l'égalité règne, que Jacqueline soit l'égale de Pablo le Géant.

Pour moi elle l'était, car je ne crois pas que l'égalité se mesure sur une balance où les poids sont identiques.

Qui pourrait contester que Pablo le Géant fut le plus grand, un peintre renouvelant le regard que nous avions sur le monde et nous faisant partager à jamais sa vision, modifiant notre regard, modifiant ainsi le monde ? A jauger Jacqueline à cette aune-là on eût conclu avec condescendance qu'elle n'était que l'épouse du maître.

Hommes de demain, sachez toujours juger une femme, une épouse, une mère, une fille, une sœur, en comprenant que son univers souvent contient celui de l'homme auquel elle est liée. Car toujours la femme sait.

Peut-être, Hommes de demain, aurez-vous découvert ce mystère : la connaissance intuitive qu'ont les femmes de la vie, leur lien charnel avec le monde. Cela provient-il de leur don de vie ? Elles la portent, elles lui donnent l'élan, elles nourrissent avec le lait qui vient de leur corps.

Hommes de demain, aurez-vous, comme trop souvent l'ont oublié certains parmi nous, cette réalité élémentaire que les femmes sont pour la vie terre nourricière et maison ? Qu'elles sont le monde et le mystère à elles seules ? Qu'elles sont les seules à savoir avec toute leur peau et tout leur corps ce que sont la complexité et la fragilité du monde ?

Je ne l'avais pas oublié. Ma première femme Dina, que l'incendie m'a prise avec les enfants qu'elle m'avait donnés, m'avait enseigné cela, simplement, en donnant la vie. Et j'avais communié avec elle dans ce mystère, en l'accouchant moi-même, en m'associant autant qu'un homme peut le faire au plus grand acte du monde dont la femme est l'origine.

Virginia qui m'avait apporté le renouveau avait avec la même simplicité accouché de ces enfants devant moi et j'avais été, si cela se peut, plus ému encore, comme si, parce qu'avec Dina j'avais connu à la fois le mystère de la vie et de la mort, j'étais avec Virginia plus stupéfait, plus secoué par ce miracle dont je redécouvrais la beauté naturelle, l'invention créatrice qu'il représentait.

Car chaque enfant était autre, chaque naissance était semblable et différente.

Et c'est pourquoi je dis, Hommes de demain, que chaque femme est créatrice, que les valeurs de la création même quand un homme les met en œuvre sont valeurs féminines.

Je reprends la parole du poète Aragon, un ami de Pablo le Géant, qui écrivait « La femme est l'avenir de l'homme ». Voilà pourquoi un créateur a besoin d'une femme vraie, non de celles qui, dupes de certains discours, se sont détachées de leur nature profonde, mais de celles qui sont demeurées les créatrices du monde, de celles qui sont liées à la vie.

Celles-là, Hommes de demain, sont les porteuses des valeurs de la femme et des valeurs de la création, celles-là sont l'avenir du monde.

Jacqueline, je la voyais sauver de Picasso chaque trace, organiser ici et là en France, à Paris ou à Toulouse, les expositions des œuvres qu'elle possédait. Je la voyais donner des toiles, ouvrir avec générosité les secrets de Notre-Dame de Vie à ceux dont elle sentait qu'ils aimaient Pablo le Géant. Je la voyais partir pour Vauvenargues, le château où reposait le peintre. Je savais qu'elle communiait avec lui dans le mystère de la présence, malgré la séparation de la mort. Elle était habitée par lui. Peu importait le détail des initiatives qu'elle prendrait. Animerait-elle un prix Picasso de la création ? Léguerait-elle ces toiles à tel ou tel musée ? Soutiendrait-elle une fondation ? Ou bien écrirait-elle afin de faire connaître les circonstances dans lesquelles chacun de ces actes de vie qu'est une toile était né ? Tout cela était sans doute nécessaire et peut-être le ferait-elle, mais ce qui comptait d'abord c'est que par elle Picasso continuât de vivre.

Elle était la part visible de son âme comme elle avait été pendant qu'il vivait dans la lumière de la notoriété et de la vie la part cachée de sa vie.

C'est comme si, après la mort de Pablo, les rôles avaient changé, lui, dans l'ombre de la vie, elle dans l'existence, dans l'univers des apparences mais entre eux toujours la même fusion, simplement comme si le soleil avait tourné autour d'eux, les éclairant l'un après l'autre.

Mais je dirais, et peut-être cela choquera-t-il, quelle importance ?

Pour ceux qui s'aiment fort, pour ceux qui

croient à l'au-delà du monde, la mort est impuissante à séparer.

Lorsque Pablo le Géant a cessé d'être de notre monde, Jacqueline, qui avait découvert le corps de son mari, est tombée dans la neige devant le château de Vauvenargues et elle y est demeurée plusieurs heures inanimée. Quand on l'a retrouvée elle n'avait même pas pris froid comme si la chaleur de Picasso, enfuie de lui, l'avait entourée et protégée, comme si la vie du Géant s'était répandue en elle. Comme si dans l'univers où il pénétrait il disposerait d'une force immense, sans limite. Ne lui avait-il pas dit, à sa compagne : « Demain je recommencerai à peindre. »

Depuis qu'elle m'avait répété cette phrase je méditais sur ces mots fascinants d'un homme qui avait consacré toutes ses forces vivantes à la peinture et ce depuis l'enfance, et qui pourtant au seuil de la mort, comme s'il avait le pressentiment d'une énergie à venir, annonçait le début d'une nouvelle période de son art et de sa vie.

Cette phrase qui avait bouleversé Jacqueline, elle me troublait au plus profond. J'y décelais la preuve de ces prémonitions, de ces visions qu'ont les hommes-promesses, les hommes du haut monde.

Pablo le Géant était ouvert à ces signes qui, sous la surface des choses, balisent les routes pour ceux qui ont l'intuition de l'avenir.

Hommes de demain, aurez-vous exploré cet univers caché de la réalité souterraine du monde ? Aurez-vous appris à lire ce qui s'y annonce? Aurez-vous compris les mystères ? Saurez-vous que l'intuition est parfois plus forte que la raison pour percer le sens caché des choses ?

Saurez-vous que l'art, la création ouvrent les portes des mystères et que les grands créateurs, tel Pablo le Géant, ont la puissance des devins et des sorciers ?

En employant ces mots pour la première fois dans mes livres, je sais que je vais étonner. Mais j'écris maintenant depuis plusieurs années, je côtoie des hommes et des femmes qui sont eux aussi tournés vers la création. Je lis. Je médite sur ce que j'ai vécu.

Je pourrais raconter cent coïncidences étranges, mille prémonitions qui me secouèrent et étonnèrent certains de mes amis. Je me souviens de l'un d'eux, un écrivain, qui m'expliquait comment un soir il y a moins de deux ans, alors qu'il dînait avec sa femme, il éprouva une sorte de sentiment inattendu de tristesse et de douleur. Il dit, interrompant la phrase qu'il était en train de prononcer : « Son fils vient de mourir, quelle horreur, pauvre femme », et il citait le nom d'une actrice célèbre.

Le lendemain et le lendemain seulement les journaux et les radios annoncèrent que l'enfant de cette actrice venait de mourir tragiquement, empalé sur la grille d'un parc.

Coïncidence ?

J'en ai vécu tant que j'ai renoncé à croire qu'il s'agissait simplement de hasards.

Je crois que tout à coup certains d'entre nous en certaines circonstances voient s'ouvrir le sol devant eux. Ils distinguent alors sous l'écorce les lignes de force, ils voient les rencontres et ils pressentent. Ils sont comme ces animaux qui bien avant que les sismographes aient enregistré les secousses lointaines de la terre ont dressé les oreilles, commencé à trembler et, sentant les mouvements lointains du sol, deviné ce qui allait se produire.

Hommes de demain, serez-vous tous capables de lire les signes que nous ne voyons et comprenons que par intermittence ? Serez-vous, Hommes du haut monde, de « grands lecteurs » comme les sages et les créateurs, serez-vous avertis des mystères ? Dans notre premier monde il faut que vous sachiez que certains d'entre nous, les créateurs d'abord, mais aussi souvent les femmes et quelques hommes que la vie avait contraints à regarder profond, à user de l'intuition comme d'une raison supérieure, avaient acquis cette connaissance des signes. Ils savaient approcher les mystères. Moi-même, dans ma vie, j'avais été plusieurs fois porté par une assurance que rien ne justifiait : comme si je SAVAIS que telle ou telle éventualité devait se produire.

Durant la guerre, dans le ghetto, dans le camp

de Treblinka ou dans les prisons je n'aurais pu survivre si je n'avais pas été GUIDÉ par ces certitudes comme par des étoiles dans le ciel. Je prenais des décisions, je suivais des chemins dont rien ne justifiait le choix et surtout pas la raison, sinon que ces actes m'étaient IMPOSÉS par une force supérieure à moi, une connaissance que j'avais qui me convainquait de la justesse de mes choix.

Quand je réussis à m'enfuir de Treblinka, j'étais PORTÉ. Je suis sûr aujourd'hui, en revoyant toutes ces scènes pour le film que Robert Enrico a tiré de *Au nom de tous les miens,* qu'un homme « raisonnable » n'eût jamais osé entreprendre ce que je tentai. Moi-même si j'avais un instant réfléchi aux chances qui m'étaient données de franchir tous les barrages j'eusse peut-être renoncé. Et pourtant j'avais agi et réussi. Chacun de mes gestes — bondir, m'accrocher et me cacher sous un camion, rester immobile, sauter dans un wagon — s'encastrait dans le précédent comme la pièce d'un engrenage, comme si j'avais tout conçu, comme si TOUT AVAIT ÉTÉ ÉCRIT, déjà comme si je n'avais fait que suivre un plan précis. Et ne le suivais-je pas sans en avoir conscience ?

Ici est le mystère. J'étais POUSSÉ par une force, SOULEVÉ par une énergie qui m'habitait — vivre, vivre, vivre — DIRIGÉ par une intuition, ORIENTÉ par une certitude : je devais agir ainsi, j'allais réussir.

Au fond de moi, supérieure à toute raison était

la certitude que la liberté était au bout. Que je ne serais pas vaincu. Que je DEVAIS agir ainsi.

D'où venait cette force ? Qui animait cette certitude ? Qui me guidait ?

Le hasard était-il le maître de mes pas ?

Je sais que parmi mes lecteurs nombreux sont ceux qui, à un moment donné de leur vie, ont eux aussi SU ce qu'ils devaient faire, comme si l'inconnu qui était devant eux, cette obscurité de l'avenir était en fait parcourue d'allées éclairées qu'ils devaient emprunter.

Je me souviens d'une mère, Luce F., qui me racontait comment, un jour à son bureau, tout à coup elle avait éprouvé l'impérieuse nécessité de sortir, de se précipiter chez elle hors de toute raison, de s'élancer dans la cuisine et sa fille était là, couchée sur le sol. Elle avait été réanimée, mais à quelques minutes près la mort eût agi, implacable. Hasard ?

Si cette mère s'était interrogée au lieu de quitter son travail, si elle avait laissé la poudre grise de la réflexion ensevelir son intuition, si elle avait questionné des collègues sceptiques qui l'eussent rassurée, bien sûr... A-t-on idée, eussent-ils dit, de s'inquiéter pour des pensées pareilles ? Qui croit encore aux pressentiments ? Vous verrez bien ce soir ! Téléphonez ; vous n'allez pas traverser la ville pour une idée noire ? Si elle avait été sourde à son émotion, cette mère n'eût pas agi.

Nous avons en nous tant de forces de connaissance et de divination et nous les étouffons !

Hommes de demain, aurez-vous appris à maîtriser ces Pouvoirs de la Connaissance que chaque homme et chaque femme porte en soi ? Aurez-vous libéré les forces de la vie ?

Je me souviens donc de Luce F. et de ses questions pleines d'espoir et d'angoisse mêlés. Elle voulait comprendre. Elle me demandait d'expliquer.

D'où provenait cet appel qui traversait l'espace et l'atteignait au plus profond d'elle-même, lui donnant l'ordre de se lever, de courir vers sa fille menacée ? Que signifiaient ces signes qu'elle repérait parfois dans sa vie ? L'avenir était-il donc écrit, dessiné comme une route sur une carte ? Et parce qu'elle avait été une de mes lectrices attentives, elle me disait, commentant *Au nom de tous les miens*, que l'intuition seule et la conviction m'avaient guidé bien plus que la raison. « On vous a conduit par la main », avait-elle dit, je me souviens de sa phrase.

Ces questions me troublaient. Elles étaient l'objet de nombreuses discussions avec l'un de mes amis, qui, comme écrivain, avait à plusieurs reprises été confronté à de tels signes prémonitoires. Il prétendait que souvent il décrivait dans ses œuvres, des années avant l'événement, ce que l'avenir vérifierait. Parfois disait-il, il craignait d'écrire parce que les phrases révélaient un futur qui l'inquiétait. Il faisait état de tel ou tel fait troublant que je ne veux pas rapporter ici car ils le concernent seul et s'il le juge bon, un jour il les révélera.

Mais alors que j'écrivais ces lignes pleines de questions je remarquai sur ma table un livre de Graham Greene, que je venais de recevoir et dans lequel l'écrivain anglais raconte sa vie *. J'ouvris le livre à la page 90, parce que je voulais m'interrompre dans l'écriture et feuilleter ce témoignage d'un romancier que j'estimais.

Or, voici très précisément ce que je lus. Graham Greene évoquant l'un de ses premiers romans (*L'Agent secret*) écrit : « D'autres passages semblent appartenir à une époque nettement postérieure... Voilà qui illustre de façon cavalière un sujet auquel il vaut mieux ne pas réfléchir trop longtemps. Dunne parle dans *Le Temps et le rêve* de rêves qui tirent leurs symboles de l'avenir aussi bien que du passé. Est-il envisageable qu'un romancier agisse pareillement dans la mesure où il puise une part si importante de son matériau à la même source que les rêves ? L'idée est troublante. Lorsque Zola décrivait des mineurs en train de périr asphyxiés, empruntait-il au " souvenir " de sa propre mort, étouffé par les émanations de son poêle à charbon ? Peut-être vaut-il mieux qu'un écrivain ne relise pas les livres qu'il a écrits. Il pourrait y trouver trop de signes d'un avenir malheureux. » Le hasard — seulement le hasard ?

---

* *Les Chemins de l'évasion*, éd. Robert Laffont, Paris.

— avait placé près de moi ce livre ouvert à la page qui concernait ce que j'écrivais. Il existe, et les créateurs les pressentent, les écrivent, des « souvenirs de l'avenir ». Pourquoi ?

Hommes de l'avenir, aurez-vous percé le mystère ? Saurez-vous pourquoi parfois nous devinons, comme si dans notre mémoire déjà était inscrit l'avenir ?

Hommes de l'avenir, aurez-vous acquis la vraie connaissance ?

Je tentai de répondre à Luce F.

Je lui disais que le monde a un sens. Qu'il n'est apparemment que routes embrouillées, que fils se croisant en désordre mais qu'un ordre y règne et que c'est à nous de le reconnaître.

Luce F. m'écoutait. C'était une jeune femme qui paraissait plus grande qu'elle n'était. Elle portait des cheveux très longs, presque blonds, avec lesquels elle formait une longue tresse qui couvrait une partie de son épaule gauche. Je la sentais fragile, inquiète, et quand elle me parlait sa voix était comme voilée, trop tendue, incertaine. Parfois elle s'interrompait pour toussoter, et quand elle s'essayait à rire, c'était comme une toux aussi, qui me faisait mal. Je sentais les inquiétudes de Luce, cette sagesse qu'elle s'imposait et ces questions qui la tourmentaient. Elle me demandait faiblement comment on pouvait à la fois croire en l'effort et en la volonté, en l'action libre de l'homme construisant son destin et affirmer, comme je semblais aussi le faire, que des routes étaient déjà tracées qu'il fallait reconnaître et que des événements peut-être étaient déjà inscrits dans l'avenir ! Les écrivains (elle citait ce que je lui avais confié de Graham Greene) ou le créateur (elle me rappclait les intuitions de Picasso) ne savaient-ils pas les entrevoir ?

Où était notre liberté, disait-elle tendue vers moi, le buste penché, les yeux clairs et angoissés essayant de deviner ce que j'allais lui répondre.

Elle ajoutait qu'elle était croyante, qu'elle ne savait pas comment concilier tout cela avec sa foi en Dieu. Et la mort au bout de la vie, et sa petite fille couchée sur les carreaux de la cuisine et qu'une pensée avait sauvée ! Elle se sentait désarmée, abandonnée dans un monde aussi difficile à pénétrer qu'une forêt dont les sous-bois sont barrés par d'épais massifs de ronces.

Hommes de demain, comment aurez-vous répondu à ces questions que nous nous posions ?

Vous serez, j'en suis sûr, hommes de foi. Vous serez confiants dans l'avenir de l'homme, mais aurez-vous percé ces mystères, aurez-vous acquis la maîtrise de tous les pouvoirs et des forces qui sont en nous ?

Hommes de demain, serez-vous devenus des hommes du haut monde ?

Je tentais de répondre à Luce et en lui parlant, comme souvent cela se produit, j'ordonnais mes propres pensées. J'étais croyant aussi. Je savais donc que nous allions vers une direction, que notre marche avait un sens.

Pour moi, je n'attachais pas trop d'importance aux rites des différentes religions. Il y avait les hommes de foi et ceux qui se tenaient le nez contre le mur ; croyant, parce qu'ils décidaient d'être ainsi bornés par la réalité, en connaître la vérité. Je ne les condamnais pas mais ils étaient, eux, victimes des illusions. Je n'étais jamais entré dans les querelles de religion : chaque foi me paraissait exprimer la vérité d'un moment, d'un lieu : elle était la langue d'une époque qui avait avec ces mots-là dit la croyance et c'était ce qui importait. Nous marchions dans une direction.

Et notre route était balisée comme un sentier de montagne. Mais ceux qui les ont empruntés savent bien qu'il faut être attentif pour reconnaître sur la roche ou le tronc d'arbre la marque de peinture que les guides ont peinte et qui donne la route. Combien qui commencent à marcher et qui perdent la direction ? Ils peuvent sans vigilance s'égarer dans la forêt, retrouver le chemin par hasard ou au contraire aller vers la falaise et se précipiter dans l'abîme. La trace existe mais le marcheur doit la découvrir. Telle me paraît être la loi. Chacun est libre de son attention ou de sa distraction. Chacun doit repérer le signe sur la roche, là, à portée de regard, et chacun peut décider de le suivre ou au contraire de s'écarter.

Et certains d'entre nous, parce que l'imagination et le rêve sont des clés du monde réel, réussissent à devancer l'instant. Ils voient en avant, là-bas, derrière cette roche ou bien la cime déjà. Créateurs, leur imagination à partir des éléments dont ils disposent — ces émotions qu'ils éprouvent, ces signes autour d'eux, leurs inquiétudes — invente et donc découvre le possible futur.

Ils ont, comme disait Graham Greene, des « souvenirs de l'avenir » : Leur imagination vit comme une mémoire.

Mais rien ne change pourtant, car la route est à faire, le sentier à gravir. Il faut marcher vers cette sensation qu'ils ont eue et qu'ils ont parfois décrite. On ne brûle jamais les étapes même si on connaît le nom de la future halte. Il faut l'atteindre. Ces créateurs deviennent et expriment, pressentent et voient mais ils sont soumis à la loi générale. Ils sont comme les sourciers ou les chercheurs d'or. L'eau et le métal sont sous la terre. Ils connaissent le sol. Ils savent relever les indices. Ils disent, c'est là, sous les mottes ou les roches. Mais il faut creuser pour atteindre la richesse de l'eau ou du filon.

Le signe ne fait pas disparaître l'effort.

L'imagination fait découvrir mais c'est la main qui peint, longuement, et c'est la main qui écrit.

Mais j'expliquais à Luce, que dans notre premier monde, souvent l'imagination et le rêve, l'intuition et la spontanéité sont étouffés.

On les condamne. L'homme de plomb, l'homme prétentieux et lourd, celui qui craint de voir et de savoir préfère appuyer ses paumes aux murs de ses soi-disant certitudes.

Il touche du doigt et du nez. Il dit : Je ne sais pas s'il y a un sentier. Je ne sais pas si l'on doit marcher. Je ne sais pas s'il y a un sens. Et il répète avec sa voix de stentor : Je n'y crois pas. Je ne retiens que ce que je touche.

Luce, Luce, jeune femme qui a découvert la force de ta pensée puisqu'elle a sauvé ton enfant, ne te laisse jamais engluer dans ces raisons raisonnables. Ils ne savent rien, ceux qui prétendent ainsi s'en tenir au réel.

Fais confiance à ce que tu sens, à ce que disent les créateurs, à ce qu'ils découvrent, à ce que racontent les écrivains. Ils sont en harmonie avec le mystère du monde. Ils sont des hommes-germes.

Et parce que tu es femme, tu appartiens à leur espèce.

J'écoutais Luce, comme j'avais écouté Jacqueline Picasso ou comme j'écoutais Virginia.

Elles étaient femmes. Elles étaient déjà, par elles-mêmes, un signe, puisqu'elles étaient porteuses de la vie. Elles étaient puissances d'intuition et d'avenir. Elles ne défendaient pas les dures et implacables valeurs de guerre, de combat et d'affrontement. Elles exprimaient le désir de paix et d'amour. Elles donnaient la vie.

Elles étaient l'équilibre du monde.

9

« On ne sait pas où est la vérité »

Souvent je pensais au pouvoir d'imagination et au rôle de paix des femmes. Je m'installais dans mon bureau. Je regardais Virginie et mes deux filles aller entre les arbres avec cette gaieté légère de la jeunesse. Elles adhéraient à la terre. Elles étaient une floraison vivante du monde. Et elles étaient le futur de la vie.

Puis je revenais à mon travail. A ce livre, à mes lecteurs, et à leurs messages. Au monde tel qu'il est, chargé de douleurs, traversé de joies brèves, marqué de cicatrices.

Je prends une lettre. Elle a été postée à Valence. Je connais la ville, j'aime le grand fleuve et les montagnes déjà sèches de la Provence qui s'annonce, le vent aussi qui balaie l'horizon.

Ces lettres qu'on m'expédie de tous les coins du monde sont chaque jour comme une fenêtre que j'ouvre et un souffle, porteur d'une voix, entre dans mon cœur. J'avais prévu pour la journée de faire ceci ou cela, d'écrire dans telle direction, et puis la lettre vient, la voix parle et je change, je commence le dialogue.

Cette correspondante me parlait donc, depuis Valence :

Je vous écris pour moi, et pour tous les jeunes, murmurait-elle, ces jeunes que l'on prend facilement pour des voyous, des « je m'enfoutistes », que l'on assomme de publicités qui doivent apporter le bonheur, de sexe à tous les coins de rues, de l'importance de l'argent, de violences. Parce que je crois que vous pouvez quelque chose pour nous, vous avez la façon de parler, d'aller à l'essentiel, et c'est ce dont nous avons besoin à notre époque. Surtout, vous apportez le réconfort, la tolérance, *vous parlez pour les êtres, non comme la société qui condamne, qui juge, vous faites confiance à l'homme, c'est ce qui manque dans notre société.*

Les jeunes, la société ne leur fait pas confiance, on leur impose des valeurs qu'ils ne peuvent comprendre, parce que non fondées, on les amène ainsi à douter d'eux-mêmes, de ce qu'ils pensent, on les amène à se considérer comme anormaux, immoraux.

Face à cette société, on se trouve seul quand le bruit de la radio, les critiques familiales sont terminées, c'est le vide, personne n'est ici pour nous écouter sans nous condamner. Nous avons les possibilités matérielles de bien vivre, mais nous n'avons pas de raisons de vivre.

J'avais entendu souvent des appels analogues. Et j'avais répondu pourtant que je ne pouvais à moi seul changer le monde.

Je connaissais le désarroi de ces jeunes, leur sincérité. La violence qui parfois les habitait n'était qu'une forme de révolte et de protestation qui ne trouvait pas d'autres moyens pour s'exprimer. Des drames surgissaient, stupides et tragiques. Ce matin même écoutant le bulletin d'information j'apprenais que dans un café de l'Est de la France, trois jeunes avaient insulté un étudiant qui se trouvait au comptoir. L'étudiant avait gardé son sang-froid et n'avait pas répondu espérant sans doute désamorcer l'agressivité contre lui. Elle s'était au contraire avivée. L'un des jeunes gens lui avait donné, sans mobile, un coup de couteau qui avait atteint le cœur. Un mort et trois victimes-coupables qui allaient pourrir en prison.

Hommes de demain, mesurez-vous ce gâchis que nous fîmes, ces jeunes poussés par notre société, nos familles, nos irresponsabilités, dans des impasses, ces jeunes écrasés et que nous devions, à la fin, parce que nous les considérions comme irrécupérables, enfermer tels des animaux dangereux. Et certains hommes de demain, certains parmi ces hommes encore en devenir, des enfants encore, étaient effectivement devenus sauvages et meurtriers.

Hommes de demain, aurez-vous enfin trouvé les moyens pour protéger cette jeunesse généreuse et inquiète des marécages où nous la laissions se noyer ?

Je reprenais la lettre, j'écoutais cette voix qui parlait :

Je voudrais que vous rassuriez les jeunes sur la vie, disait-elle, en effet, lorsqu'on était enfant les adultes étaient l'image du parfait, de la compréhension, du bonheur, arrivé à l'adolescence on découvre la triste vérité : la compréhension était dans le monde des enfants et non des adultes. Je voudrais que vous dénonciez l'activité industrielle inutile et rappeliez les devoirs que nous avons envers les deux tiers de l'humanité qui a faim. Je vous le demande parce que vous le pouvez, *vous en avez les moyens psychiques.*

Moi qui vous écris, je suis une étudiante, dix-huit ans, en terminale D, qui a de bons résultats scolaires, mais qui n'est pas contente de l'ambiance qui règne parmi les jeunes à cause des adultes, les jeunes sont aussi en faute, mais la faute initiale vient des parents, des enseignants. Ils sont loin d'être des modèles pour nous, les uns trop autoritaires, les autres pas assez qui ne savent pas se faire respecter, non par la peur, mais par la franchise. Je travaille je ne sais pourquoi, je sens que c'est dans mon intérêt, bien que je n'en aie pas du tout envie. Finalement je ne sais plus ce que je fais ici, perdue dans l'immensité de la production sociale, où l'homme disparaît. De même depuis six mois je sors avec un garçon, nous nous aimons, sans que mes parents le sachent, pour eux travail et amour ne peuvent aller ensemble, à 18 ans on ne cherche que le plaisir des sens, disent-ils, on n'est pas mûr, etc. Ils arrivent ainsi à me faire douter de moi-même. Je me sens prête à être adulte, à avoir des responsabilités, on veut me convaincre que non, qu'il faut faire attention, que ci, que ça... En moi, ça bout, je ne peux me réaliser. Et je sais que ma situation est celle de beaucoup de jeunes. Nous nous demandons où est le juste milieu. Car je sais que les parents ont raison en partie, et les jeunes tort. Mais face à l'hostilité, aux discussions de sourds, on ne sait pas où est la vérité.

J'ai relu cette lettre plusieurs fois. Elle me disait ce que tant d'autres jeunes exprimaient à leur manière, cette volonté de vivre, d'assumer des responsabilités et cette angoisse face aux engrenages de la société dans lesquels ils étaient pris. Les adultes jugeaient, condamnaient, dénonçaient. Un jour, je me souviens, dans un autobus d'une ville de la Côte d'Azur parce que quelques jeunes gens debout dans le couloir chantonnaient, tous les passagers, des personnes âgées, s'étaient liguées pour les interpeller, les insulter avec une hargne qui m'avait paru insupportable. Il y avait la haine de ceux qui ont perdu leur jeunesse pour cette beauté un peu provocante de l'adolescence, il y avait le conformisme égoïste de personnes avares, hostiles à la générosité spontanée de la jeunesse, il y avait la peur paniquée devant ce qui est différent de vous.

Hommes de demain, je voudrais que vous ayez en mémoire la manière dont nous traitions les jeunes et que comme moi vous pensiez qu'une société se juge à la place qu'elle réserve à ses enfants.

Qu'avons-nous fait pour vous, jeunes de ce premier monde ? Quel est le grand projet que nous vous offrons ? Où sont les routes que nous vous traçons ?

Dans le ciel je vois se croiser les lignes blanches des bombardiers supersoniques qui portent dans leurs flancs des bombes mille fois plus puissantes que celles que nous avons lâchées sur Nagasaki et Hiroshima.

Je vois surgir de sous les mers l'étrave d'un sous-marin noir qui contient des fusées de mort. Et la terre est creusée de silos remplis d'armes.

Et dans notre vie de chaque jour ? Nous les adultes, nous qui avons organisé le monde, qui donnons des leçons, qu'offrons-nous ? Le désar roi, le chômage souvent pour les plus jeunes.

Quand je lis : douze millions de chômeurs aux États-Unis, deux millions en France, trois millions et demi en Angleterre, deux millions et demi en Allemagne, j'ai peur. Je pense à ces vies qui se cachent derrière les chiffres abstraits.

Et c'est pourquoi je vais faire entendre une nouvelle fois la parole d'un lecteur anonyme.

Hommes de demain, si vous voulez écouter la voix vraie de notre premier monde lisez aussi cette lettre, d'un homme jeune.

Vous comprendrez alors d'où vous venez, et pourquoi notre premier monde était plein jusqu'à la gorge d'angoisse et de violences, de désespoir et de révoltes.

Écoutez, Hommes de demain, cette simple voix sans effet de théâtre qui dit notre égoïsme et le malheur d'un homme.

Martin Gray, déjà je vous ai écrit. Aujourd'hui encore à nouveau car j'en éprouve le besoin, le besoin d'écrire, de me confier, pas à n'importe qui, ni à un ami de longue date, mais à Martin Gray, à vous que je ne connais que par vos livres que j'ai lus et relus plusieurs fois :

— Au nom de tous les miens ;
— Le Livre de la vie ;
— Les Forces de la vie ;
— La Vie renaîtra de la nuit.

En ce moment, pour moi c'est la déroute, le cauchemar. Comme beaucoup je suis au chômage, depuis sept mois. Je ne supporte pas cet état. Mes amis me délaissent peu à peu, ayant moins d'argent je ne suis plus intéressant à fréquenter. Je suis marié depuis seulement onze mois, mais déjà notre vie de couple en a pris un sale coup.

Les conversations que j'ai avec ma femme retombent toujours au même point : CHÔMAGE. *De là tous les projets sont remis à une date ultérieure. Pour des jeunes mariés comme nous le manque d'argent conduit toujours à une mésentente.*

J'aimerais tant que vous me répondiez, une lettre de vous écrite de votre main avec vos conseils serait pour moi comme un coup de fouet.

Bien sûr, comparés à votre vie et à vos souffrances, mes ennuis ne sont plus grand-chose.

Je suis vos conseils de votre livre Les Forces de la vie, *mais chaque jour de chômage, je plonge un peu plus, le temps passe et je ne profite de rien, pas matériellement mais au niveau du couple, des amis des rencontres. L'évolution et l'épanouissement ne se font plus ou très peu. J'ai perdu mon emploi de mécanicien-fraiseur à cause d'un problème de vertèbres. Pour le recyclage les délais d'attente après inscription sont de deux à trois ans, c'est affolant !*

Dans cette société pour se construire et s'affirmer il faut de l'argent et encore de l'argent, c'est le nerf de la guerre. Face à tous ceux que je connais et qui travaillent, je me sens humilié, bon à plus rien, bien sûr je suis moi, je suis unique, je suis un tout (je vous cite), mais aujourd'hui ce n'est possible et valable qu'avec de l'argent, pas énormément mais de l'argent quand même. On ne se retourne même plus sur un clochard assis par terre avec son chapeau à l'envers posé sur le sol. Excusez-moi, je parle de tout en même temps, je me décompresse au fur et à mesure que je fais cette lettre. C'est affreux le chômage, la déroute, l'usure des nerfs et encore bien des choses. J'aimerais tant que vous me répondiez. Un conseil, un soutien moral de vous et je pourrais mieux tenir le coup.

Dans l'attente de vous lire.

Amitiés.

Que faire ?

La question, Hommes de demain, me tourmente. J'interroge et j'écoute les hommes politiques à quelque parti qu'ils appartiennent. Pour les meilleurs d'entre eux je ne doute pas de leur sincérité. Ils voudraient réussir à améliorer la condition des hommes, à rendre ainsi plus humaine l'organisation de la société. Mais — nombreux sont ceux qui se sont confiés à moi — ils se perdent dans les labyrinthes. Ils doivent assurer leur pouvoir contre la concurrence des rivaux. Il leur faut séduire les électeurs. Je les vois, main tendue, sourire convaincant éclairant leur visage, aller par les rues pour tenter de gagner une voix. Mais une fois élu que peuvent-ils, que font-ils ? Ils pensent à leur réélection, ils fortifient leur poste : on donne à ceux qui ont voté pour vous. On favorise celui qui vous promet quelque voix. Curieuse vie que la vie politique.

Je l'ai observée suivant lors d'une campagne électorale l'un de mes amis, voyant le mélange de conviction et de concession qu'elle imposait.

Toute cette énergie pour séduire et répéter aurait pu être utilisée à d'autres fins. Réformer par exemple. Mais comment y parvenir alors que l'égoïsme est partout, que chaque catégorie défend avec une détermination farouche ses privilèges ?

J'entends répéter ces temps-ci en France le mot de solidarité. Qui accepte vraiment de partager, je ne dis même pas son pain, mais le surplus dont il dispose ?

Relisez cette lettre du jeune chômeur : l'argent comme un cancer qui ronge non seulement parce que lorsqu'on en manque la vie est difficile, mais. il le dit si tragiquement, « dans cette société pour se construire et s'affirmer il faut de l'argent et encore de l'argent, c'est le nerf de la guerre ».

Hommes de demain, relisez cette phrase maladroite et vraie d'un homme inconnu de vous, un homme de notre premier monde.

Guerre : la société telle qu'il la vivait était celle d'une guerre. Les uns contre les autres, les riches toujours plus, les pauvres dépouillés non seulement de ce dont ils ont besoin, mais aussi de leur dignité d'hommes.

Hommes de demain, quel système politique et économique aurez-vous construit pour éviter que ne s'aggravent encore ces inégalités ?

Hommes de demain, aurez-vous su préserver la liberté de l'homme mais aussi son droit à la dignité et à la satisfaction de ses besoins : travailler, nourrir les siens, conserver le respect de soi ?

Devant le premier monde tel qu'il était je m'interrogeais souvent

J'étais saisi d'une angoisse qui tenait, je l'ai déjà dit, à cette accumulation d'armes folles sous les mers et sous le sol, à ces rotations sans fin des satellites-espions prêts à déclencher l'alerte à la guerre, à ces vols ininterrompus d'avions porteurs de fusées.

Il existait aussi le déséquilibre des affamés et des repus. Je l'ai dit. Qu'on pense maintenant, comme au début de ce livre, aux enfants dont les yeux dévorent le visage tant ils sont blêmes et maigres.

Mais il n'y a pas que cela.

Toute l'organisation de nos sociétés me semblait imparfaite, produisant des hommes malheureux ou paralysés, handicapés. Que dit la lettre du chômeur sinon cela ?

Est-il normal qu'un homme se voie ainsi détruit par une maladie sociale ? Est-il normal que des hommes et des femmes souffrant de ces mêmes maux se comptent par millions ? Peut-on qualifier de bonne la société qui tolère de telles maladies ? Si je disais cela à certains de mes amis ils hausseraient les épaules tout en admettant que le sort de certains hommes, tel ce chômeur, était difficile. Mais que voulais-je, insistaient-ils ? Qu'espérais-je ? Une société parfaite ? Une société mieux organisée ? On savait, disaient-ils, où cela conduisait. Vers des sociétés-prisons où chaque citoyen se trouve numéroté, guidé, surveillé au nom de la justice et de l'égalité. Était-ce cela que je désirais ?

Fallait-il même que je réponde ?

Je venais des camps, de leur ordre factice et barbare.

Je voulais une société de liberté mais où l'égalité des chances entre les hommes soit réelle. Je renvoyais dos à dos comme des jumeaux grimaçants les systèmes politiques où l'homme est écrasé. Qu'il le soit jour après jour par la surveillance du policier ou minute après minute par l'angoisse et le cancer de la faim, où est la différence ? Et d'autant plus que souvent les deux maladies s'associent. On maintient l'homme qui a faim à genoux et le policier le surveille.

— Alors que voulez-vous, Martin ? Comment faire ?

Ces questions souvent des jeunes me les posaient. Avez-vous relu ces deux lettres que j'ai voulu publier ? Celles de la lycéenne et du chômeur ? Elles viennent de deux mondes différents mais elles expriment la même déception amère et la même angoisse.

— Comment faire Martin Gray ? Comment faire ?

Ce garçon d'une vingtaine d'années appuyé à une table dans le salon d'une station de télévision répétait sa question. Il était décorateur. Il avait réalisé les illustrations d'une émission à laquelle j'avais participé. Il m'avait écouté parler de l'état du monde et timidement, maintenant que l'émission était terminée, il m'avouait son angoisse.

La ville était tout entière corrompue, disait-il. Où travailler et rester fidèle à ses idées ? Les bureaux d'architecte, les ateliers de décoration étaient tous soumis à la loi impitoyable de l'argent. Une œuvre n'était pas jugée pour elle-même, un artiste n'était pas employé pour la valeur qu'il portait en lui : c'étaient les relations, les pots-de-vin et les devis truqués. Toute cette société fonctionnait sans autre principe que la loi sauvage de l'intérêt individuel. Un jeune créateur qui se refusait à entrer dans l'engrenage, à être écrasé par lui, se trouvait tout naturellement rejeté, censuré en fait. Il fallait s'adapter, devenir un illustrateur, se soumettre ou être bâillonné. Je répondis à ce garçon qu'il exagérait.

Il existait en effet dans notre premier monde des hommes qui réussissaient à faire entendre leur voix sans renoncer à son timbre, des créateurs qui refusaient de céder et préféraient se crever les yeux plutôt que de peindre ce qu'ils haïssaient.

Je citai Pablo le Géant une nouvelle fois.

Il avait imposé sa vision au monde et ne s'était jamais agenouillé. Il avait longtemps vécu entouré de mépris, de silence et d'ironie puis un jour son soleil s'était levé et le monde l'avait reconnu.

Telle était la loi de l'artiste, la loi des hommes d'airain que la peur jamais ne pliait. Mais les autres, ceux qui ne portaient pas en eux le génie, ceux qui n'étaient pas d'emblée des géants et qui auraient pu simplement devenir ou rester des hommes, fallait-il qu'on les abandonne ?

— Martin Gray, je vais partir, quitter cette ville, disait-il.

Je voulais retenir cet homme jeune. Lui dire, c'est ici que votre vie doit s'enraciner. Ailleurs le sort sera le même. La société partout, avec à peine des nuances, reproduit les mêmes pressions. Trouvez en vous la force de résister, de ne jamais abandonner ce qui fait vous-même.

Il haussait les épaules. Chômage ou compromission, lâcheté et abandon, il lui semblait que ces seuls chemins étaient ouverts. Il choisissait le départ, la solitude et le refus de la corruption. Il disait qu'il préférait ne plus travailler. Et je souffrais de voir ce sol en lui, cette terre humaine devenir aride, déjà alors que la vie s'ouvrait seulement. Que faire, que faire ?

Hommes de demain, aurez-vous trouvé la solution et construit cette société juste et solidaire qui permette à chacun de devenir ce qu'il est ?

Aurez-vous brisé l'égoïsme ? Aurez-vous de chaque être humain extirpé ce mobile, le plus sombre peut-être, et qu'on appelle la peur ?

La peur.

Elle me paraissait être la loi de l'époque. Je l'avais vue tant de fois peser sur le comportement des hommes. Elle avait fermé la porte des paysans de Pologne quand, en fuite, j'essayais d'entrer chez eux. Elle avait fait obéir aux ordres les plus criminels des bourreaux. Et par peur et lâcheté des hommes avaient dénoncé des femmes et des enfants.

La peur.

Elle est le grand mobile dissimulé, elle fait se courber les hommes, elle les rend honteux de leurs actes, mais ils les accomplissent. Ils deviennent lâches.

La peur.

Je l'ai vue comme une vermine, comme une gale contaminer toute une ville enfermée, mon ghetto, durant des mois. Je l'ai vue tenir en rang des centaines — des milliers parfois — d'hommes et de femmes qui eussent pu se rebeller.

La peur.

Je crois que c'est le sentiment le plus fort, le plus enfoui, venu de l'avant-homme, comme un héritage maléfique.

Un jour dans le ghetto nous avons à quelques-uns décidé d'en finir avec la peur : nous nous sommes insurgés et notre angoisse brusquement s'est dissipée. Que risquions-nous ? De mourir mais la mort nous était promise ! Et nous choisissions en nous battant de mourir debout, dans une sorte de grande flambée de gaieté sauvage.

Nous avions effacé la peur et nous étions heureux de semer pour l'avenir ces exemples de dignité et de courage.

Hommes de demain, je voudrais que vous ayez réussi à étouffer en chaque homme et en chaque femme la peur, ce cancer insidieux qui transforme l'individu en une chose bousculée par les événements, effrayée, soumise et prête à toutes les lâchetés.

Je me souviens de Catherine.

Je la connaissais depuis plusieurs années. Je l'avais rencontrée au moment de la publication de mon premier livre. Elle avait perdu ses parents dans la tourmente de la guerre. Elle en avait gardé une sensibilité extrême, une fragilité de caractère que je devinais à son regard. Mais elle avait en elle des forces de volonté extraordinaires. Elle élevait trois enfants malgré les difficultés matérielles et elle avait monté une petite affaire immobilière.

Son mari, Noussik, violoniste et rêveur, regardait sa femme avec une admiration mêlée de crainte, incapable qu'il était de comprendre ce qu'elle entreprenait.

De temps à autre, à l'occasion d'une conférence ou par hasard ou bien parce qu'elle me téléphonait, je la rencontrais. Je suivais les étapes de sa réussite, un appartement acheté là, un autre revendu ici. Elle avançait avec obstination et talent, travaillant plus d'une dizaine d'heures chaque jour, pour ses enfants, disait-elle, afin de leur laisser à chacun l'héritage dont elle n'avait pas bénéficié, puisque ses parents étaient pauvres. Mais je me demandais en apprenant qu'elle changeait à nouveau d'appartement, vendant celui que tous les membres de sa famille aimaient pour réaliser une « bonne opération », si Catherine n'était pas emportée par une force qui en elle la contraignait à aller de plus en plus vite, afin de ne pas entendre la voix de la peur. Je l'observais cependant qu'elle me parlait avec fougue de sa dernière affaire, de la manière dont elle allait s'installer dans un hôtel après en avoir délogé les locataires. Elle transformerait les chambres en appartements. Elle rénoverait l'hôtel afin d'en faire un petit immeuble luxueux. Elle était exaltée. Elle oubliait avec une passion aveugle le sort de ces hommes et de ces femmes, souvent des étrangers, qu'elle allait contraindre à quitter les lieux. Elle voulait. Elle s'enfonçait dans les problèmes et les difficultés, elle multipliait les emprunts et les dettes. Elle était comme un animal qui fuit un mur de feu qui le poursuit. Dans son regard je saisissais l'angoisse.

Un jour je lui dis : « Catherine vous avez peur, peur de la vieillesse et de la pauvreté, peur de manquer. »

J'avais découvert sa faiblesse, cette peur panique qui la saisissait et lui serrait la gorge. Elle en perdait toute lucidité et toute générosité. Elle était comme un animal affolé qui mord la première main qui se tend vers lui, qui aboie sans raison. Elle devenait avide, égoïste, tout cela pour défendre un avenir qu'elle ne pouvait de toute manière maîtriser.

— Je ne veux plus être pauvre, me répondait-elle avec une détermination qui modifiait jusqu'aux traits de son visage.

Le plus souvent elle ressemblait à une petite fille naïve mais, quand elle était en proie à la peur, ou bien qu'elle pensait à ses affaires, son visage s'alourdissait, devenant presque laid, la bouche serrée, les yeux trop grands. La volonté et la panique se saisissaient d'elle.

Pauvre Catherine.

J'ai tenté à plusieurs reprises de la raisonner car je prévoyais qu'un jour, comme une bolide lancée trop vite, elle se heurterait à un obstacle et qu'elle ne pourrait plus maintenir sa route. Quand viendrait l'accident... Je ne pouvais en fixer la date mais la peur le ferait naître, de cela j'étais sûr.

Un jour elle me téléphona : d'une voix hachée, entrecoupée de larmes, elle m'expliquait qu'elle était ruinée. L'entreprise qui travaillait pour elle avait fait faillite. Ses dettes couraient toujours. Il fallait qu'elle rembourse alors qu'elle ne possédait plus rien. Elle exagérait, la peur lui faisant perdre la tête. Je l'aimais bien cette petite femme courageuse qu'emportait une sorte de folie panique et je fis tout ce qui était en mon pouvoir pour l'aider. Mais elle avait basculé dans cet univers implacable de la dépression et de la peur, quand la raison ne peut plus rien empêcher. Elle dut entrer en clinique. Son mari Noussik tentait de lutter à ses côtés, mais elle était comme une noyée qui entraîne avec elle ceux qui veulent la sauver.

Je la vis plusieurs fois et je crois que je parvins, parfois, à lui permettre d'émerger de ce marécage

Je lui faisais comprendre alors que la peur est une folie. Elle avait plus de cinquante ans, trois enfants bons, beaux, un mari qui l'aimait. Devant elle en raison, deux dizaines d'années à vivre encore. Elle possédait plus qu'elle ne pourrait jamais consommer. Elle avait un toit et des biens encore, quoi qu'elle dît. Où était le risque sinon dans sa tête, dans une mauvaise et stupide évaluation de sa vie ? La peur comme un bandeau sur ses yeux. Que pouvait-elle craindre ? Les dangers avaient été mille fois plus grands à ses débuts dans la vie, quand elle ne possédait rien, quand elle devait conduire trois enfants à l'âge d'homme. Ils l'avaient presque atteint, ils étaient sains et intelligents. Il ne restait dans sa vie qu'une ligne droite, dont on connaissait le terme : la mort. Et j'essayai de lui faire comprendre que la peur dont elle chargeait sa vie quotidienne — peur de manquer d'argent, peur de ne plus avoir un toit, peur de perdre, si forte panique à l'idée d'être démunie — n'était qu'une manière pour elle de mettre un masque finalement rassurant sur une peur plus terrible qu'elle portait en elle : la peur de vieillir et la peur de mourir.

Voilà ce qu'elle devait affronter. Voilà la racine de toutes les peurs qui nous habitent. Que cette peur de disparaître nous quitte, que nous la contrôlions, et toute la vie serait débarrassée de beaucoup de ces paniques insidieuses. Quelques-unes sont légitimes. Souvenez-vous de cette lettre du chômeur, du pathétique. Mais combien ne sont que le produit d'une angoisse souterraine ?

Hommes de demain, aurez-vous réussi à rendre l'homme plus sage ? A lui faire accepter qu'un jour il quittera ce sol, ses habitudes et ses proches pour une autre forme d'existence, peut-être dissoute dans l'infini de l'espace ?

Hommes de demain, ferez-vous partager par tous les hommes de votre monde cette confiance de Pablo le Géant qui, le matin de sa mort, rappelez-vous, déclarait à Jacqueline : « Demain je recommencerai à peindre. »

Si cette peur de la mort s'était dissipée, si nous avions le courage de regarder notre disparition en face, si nous mêlions à cette force l'espoir d'une seconde naissance, la mort n'étant que ce passage mystérieux que repèrent toutes les religions, peut-être atteindrions-nous l'équilibre et la lucidité. Et beaucoup de nos problèmes seraient ramenés à leurs justes dimensions.

Je voyais autour de moi tant de réalités que la peur transformait.

Cette vieille dame qui m'interpellait, pour m'expliquer de sa voix haletante et trop aiguë, qu'elle n'osait plus sortir de chez elle car les rues n'étaient pas sûres. On tuait, on volait, l'insécurité était présente à chaque pas. Les délinquants forçaient les portes, pillaient les appartements, tuaient ou torturaient les propriétaires. J'écoutais. Je regardais cette femme dont les mains tremblaient, dont tout le visage exprimait la peur. J'imaginais qu'un bruit la faisait sursauter, qu'un passant proche d'elle devenait un suspect et un jeune agresseur. Certains journaux et certains hommes politiques jouaient sur ces sentiments, exploitaient la réalité de la délinquance pour combattre tel ou tel de leurs adversaires. Et la peur s'amplifiait, devenant panique, conduisant même à ces comportements extrêmes : des hommes montaient des pièges pour tuer les cambrioleurs, d'autres tiraient à vue sur des ombres suspectes. Que devenait la loi ?

La peur, sur le terreau de nos angoisses profondes, transformait nos sociétés en collectivités dures et hostiles. Qui pourrait nier qu'il ait existé des problèmes réels ? J'ai vu dans la banlieue de Lyon, alors que je me rendais à une conférence, des jeunes gens par bandes sillonner un quartier où ne se dépêchaient que quelques rares passants dont toute l'attitude reflétait la peur. Je me suis arrêté. J'ai laissé venir vers moi ce groupe à la démarche menaçante : ils m'ont entouré silencieux, puis devant mon attitude calme, tranquille et souriante, ils sont repartis.

Je n'ai pas eu peur.

La peur aveugle et amoindrit. La peur est contagieuse. La peur attire la violence et la provoque.

Hommes de demain, que votre monde soit celui de la dignité, de la lucidité et du courage.

Je tentai d'interroger la vieille dame inquiète et dont les mains veinées de bleu tremblaient. Avait-elle été agressée elle-même ? Avait-elle été cambriolée ? Elle secouait sa tête, mais s'écartait vite de ces réalités. Elle répétait seulement : « J'ai peur, ils nous menacent. » Elle n'avait rien subi personnellement mais la peur l'empêchait de raisonner. Elle me faisait penser à ces femmes du ghetto que j'avais tenté à plusieurs reprises de rassembler afin d'organiser leur fuite et qui répétaient, face à tous mes arguments : « Nous avons peur, nous ne pouvons pas, il est préférable d'attendre. »

Elles avaient été peu après déportées vers les camps d'extermination.

La peur comme une paralysie, la peur comme une maladie.

Hommes de demain, si votre monde est comme le nôtre encore soumis à la peur, laissez-moi vous dire mon inquiétude, car je ne sais comment vous établirez la paix en chaque homme, entre eux et entre les nations.

Car la peur n'était pas seulement cette épidémie qui transformait chacun de nous en hérisson bardé d'épines, elle faisait aussi de chaque État une puissance menaçante qui surveillait l'autre, persuadé que la guerre allait venir, qu'on cherchait à l'encercler, à l'étouffer, à lui prendre ce qu'il croyait légitime de posséder.

Je pensais à mon pays, les États-Unis, où l'on s'inquiétait, à raison, de la puissance militaire de l'autre géant, cette Union Soviétique dont j'avais connu l'armée et subi la loi et dont j'avais fui le système. Je voyais ces deux empires comme des jumeaux ou, pire pour nous, pareils à des frères siamois que liait la peur. L'un gesticulait et l'autre ne pouvait que sursauter et bouger à son tour. Ils étaient solidaires dans l'inquiétude. Que l'un fabriquât une fusée de plus et l'autre à son tour mobilisait ses ingénieurs et ses soldats. Ils avaient de quoi nous tuer tous un million de fois et la peur les poussait encore à augmenter leur arsenal, fous qui croyaient se protéger ainsi alors qu'ils accumulaient les armes de destruction.

Hommes de demain, si les deux frères siamois de la terreur ont continué d'avoir peur et de susciter la peur, alors ce n'est pas à vous que je parle mais à vos ombres, à vos cendres, car vous n'aurez pas survécu à cette démesure, aux conséquences de la peur.

Je recevais chez moi David, l'un de mes amis, photographe. Il avait durant toutes les dernières guerres parcouru les fronts, fait le portrait des combattants. Il les avait suivis en première ligne, dans les rizières et dans les forêts remplies de pièges. Et jadis il avait embarqué dans un avion d'assaut, recroquevillé dans la nacelle vitrée du mitrailleur. Un homme courageux. Il m'arrivait de l'interroger sur la guerre qu'il avait connue et de confronter ses souvenirs aux miens.

La guerre était toujours une grande machine effrayante et ceux qui la mettaient en route étaient souvent des hommes que la peur rongeait.

Hitler le fou, Hitler le génie du mal, Hitler, qui était-il sinon un homme qui ne pouvait rester seul avec lui-même, que la peur de n'être rien poussait en avant ? Et Staline, l'autre diabolique, qui se cloîtrait dans ses appartements gardés tant la peur des complots et des assassins était forte pour lui. Leurs successeurs à la tête des États étaient de plus quelconques personnages mais la peur aussi était l'un de leurs ressorts. A tous les échelons de la société, de la vieille dame angoissée au chômeur, je décelais cette accumulation de peurs qui s'entassaient l'une sur l'autre, proliféraient comme des cancers et toute la société et le monde entier étaient envahis par cette métastase de l'effroi.

Alors multiplions les serrures, les barreaux, les portes blindées, les gardes du corps, les policiers, les prisons, les casernes, les armes, les armées, les flottes, les fusées, comme si cela pouvait faire disparaître les périls. Mais plus on se protégeait, plus on croyait menacer le voisin et plus la peur devenait intense. Chaque ombre près de soi et chaque État pour l'autre apparaissaient comme une menace. Comment ne pas craindre que les « frères siamois » de la peur n'en viennent à mourir ensemble, fous l'un et l'autre, l'un par l'autre ?

Telle était la confusion de notre premier monde, Hommes de demain, telle était l'atmosphère de peur qui régnait sur nous.

Et j'entends encore cette voix juvénile et angoissée qui me répète : « On ne sait pas où est la vérité. »

Je réponds : dans la confiance, dans l'espérance et dans le refus de la peur.

10
Le Haut Monde

J'écris : confiance, espérance.

Je répète : refus de la peur.

Je regarde mes enfants. Tout dépendra d'eux. Les hommes de demain, ils sont là qui jouent insouciants et heureux dans le parc, devant mon bureau, Barbara, si forte déjà, Larissa rêveuse, Jonathan, joyeux. Ils sont issus de nous et ils sont si différents parce que la vie est ainsi, multiple, ne répétant jamais deux fois le même visage et le même agencement de ces milliards de neurones où s'incrustent la personnalité, les premières impulsions, les souvenirs d'avant la naissance qui font que mes enfants sont l'un de l'autre différents.

L'avenir : ils le bâtiront mais ils le feront avec ce que nous leur avons appris car, parfois sans le savoir, nous leur léguons ce que nous sommes. Ils sont singuliers, leur personnalité ne se plie pas à nos habitudes mais nous les incurvons, malgré eux, malgré nous.

Hommes de demain, vous qui venez de nous, veillez à l'éducation que vous donnez, à ces salles de classe où se retrouvent pour la première fois ensemble les enfants, ici l'avenir se fait. Vous en tracez les routes vous qui enseignez. Et nous, les parents dans tout ce que nous disons nous formons ces réflexes, ces comportements qui marqueront à jamais et qui feront de vous, Hommes de demain, nos héritiers.

Je regarde mes enfants. Je suis fier et je m'inquiète. Je pense à tous les enfants de ce monde, à ceux de la faim et de la détresse, à ceux du bonheur et de l'amour. Le monde de demain est-il déjà dessiné ?

Ne pourrons-nous jamais sortir de nos ornières et tomberons-nous toujours, parce que nous reproduisons nos faiblesses par l'éducation que nous donnons à nos enfants, dans ces marécages qu'on appelle la haine et la peur et qui conduisent à l'inégalité et à la guerre ?

J'écris pour cela.

Je voudrais que chacun de nous, ici dans notre premier monde, sache qu'il pèse sur ceux qui viendront. Que le monde de demain c'est lui qui en dessine une part. S'il saccage une forêt, s'il détruit un paysage, s'il remplace l'horizon ouvert par un mur de béton, s'il fait disparaître à coups de gourdin des espèces animales, s'il mutile et s'il tue, le monde de demain ne sera plus qu'une avenue droite et cimentée, fermée de part et d'autre et conduisant à un précipice. Monde mort dont nous serons la cause, monde vitrifié.

Lecteurs, si j'en appelle à votre conscience, c'est pour que vous mesuriez votre responsabilité, à l'égard de vous-mêmes et de ceux qui viennent, de ces enfants qui sont les nôtres.

Le monde de demain : c'est eux.

Et eux, c'est vous qui les modelez.

Alors que je terminais ce livre dont je ne connais pas le destin, dont je voudrais qu'il soit un nouveau dialogue entre moi et des dizaines de milliers de lecteurs, afin que nous progressions ensemble, une nouvelle m'a frappé au cœur. Un écrivain, un philosophe que j'aimais, dont les livres m'avaient marqué, Arthur Koestler, venait de se suicider avec sa femme parce qu'il était atteint d'une maladie incurable. Il avait près de quatre-vingts ans et elle une cinquantaine. Le couple avait été retrouvé paisiblement assis dans deux fauteuils comme endormi.

Mon père, combattant volontaire durant la guerre d'Espagne, m'avait à plusieurs reprises parlé de lui. Et j'avais rencontré Arthur Koestler à Londres, lors de la sortie de *Au nom de tous les miens.* Je n'avais échangé que quelques mots rapides avec lui, mais j'avais été impressionné par la force et le calme qui émanaient de cet homme-là. Il était pour moi l'un de ces hommes-germes, de ces hommes-promesses qui à l'égal de Pablo le Géant trace dans notre présent les routes du futur.

Il avait traversé la politique avec courage. Il avait cru aux idéaux du communisme. Il avait en Espagne au temps de la guerre, alors que les troupes du général Franco brisaient le pays, risqué la mort. Sauvé par miracle il avait pu méditer du sens de la vie, de la politique et peu à peu après quelques livres éclatants où il avait dénoncé ce « Dieu des ténèbres », le communisme russe et ses prisons, il avait abandonné la politique, cette surface des choses, pour s'intéresser au cœur de l'homme, à ce qui le fait agir.

J'ai déjà, dans certains de mes livres, parlé de ses œuvres. Elles obligent à réfléchir. Elles nous parlent de l'organisation du cerveau de l'homme. Koestler explique nos hésitations entre le Bien et le Mal, nos contradictions entre la fraternité et la haine, par un défaut de l'évolution biologique. Nous serions à la fois déterminés par un cerveau « ancien », témoin des premiers stades de l'évolution, et par un cerveau complexe. Entre les deux, l'accord se fait mal, si bien que nos efforts vers le Bien retombent toujours. Nous sommes des fous, dit-il, des machines déréglées, semblables à de grands singes qui auraient à leur disposition un ordinateur, qui seraient capables de le construire mais qui tout à coup, saisis par leurs origines, perdraient la tête et briseraient tout.

J'ai tant vu de crimes s'accomplir autour de moi, je reçois tant de lettres chargées d'angoisse que parfois il m'arrive de penser que Koestler a raison et qu'on doit soigner l'espèce humaine comme on le fait des dépressifs, en leur donnant des tranquillisants.

Mais ce n'est qu'un moment de ma réflexion.

Je regarde mes enfants.

Je pense à tcus ces hommes superbes de courage et d'énergie, de dévouement, capables de générosité et de sacrifice. Je pensc à mon père, à Pablo le Géant et à Arthur Koestler lui-même. Je pense au plus profond de notre passé, aux prophètes, à ceux qui ont écrit les premiers livres. Je pense au Christ.

Étaient-ils des « malades » ceux-là, ou au contraire des hommes-germes ?

Je pense à tous ceux qui, à un moment de leur vie, ont choisi le sacrifice, pour les autres, pour la foi.

J'ai vu sur l'écran de la télévision un Noir de Haïti. Un croyant, que la police barbare du dictateur avait emprisonné, torturé, tailladé à coups de serpe si bien qu'il pouvait à peine marcher. Il avait connu l'horreur. Mais la protestation des fidèles avait obtenu sa libération. Il était retourné dans ce bidonville où vivent des dizaines de milliers de personnes et où sévissent toutes les maladies. Là il recommencerait son travail d'assistance et d'éveil. Il disait : « J'ai vécu la passion du Christ. »

Qui était-il cet homme-là, sinon un homme-germe, un homme de demain présent déjà dans notre monde, un homme-promesse ?

Dans la grande couche humaine parcourue des frissons de la haine et de la peur. ces hommes-promesses faisaient lever l'avenir.

Ils me donnaient confiance.

Ils sont l'espérance.

Eux, leur dévouement et leur générosité, leur courage et leur foi me permettaient, Hommes de demain, d'imaginer votre haut monde.

Je le vois.

Ce haut monde fraternel je veux qu'il existe. Monde de demain ? Monde du rêve ? Peut-être. Mais qui peut marcher, traverser le désert s'il ne croit pas qu'au bout il y a une étape, une source, un arbre pour l'ombre et pour les fruits.

Je sais bien qu'à chaque pas nous pouvons nous perdre. Derrière cette dune, il n'y a que des sables mouvants : ceux de la haine et du racisme. Et j'ai été recouvert par eux, et des millions des miens, des centaines de millions depuis que l'homme est l'homme, ont été noyés, étouffés dans ce piège. Je n'ignore pas cela.

Plus loin, à quelques mètres de la piste, il y a les eaux empoisonnées de l'égoïsme et de la rivalité, celle de la lutte contre l'autre pour augmenter ce que chacun possède. Et j'enferme dans mes coffres de quoi faire vivre des dizaines d'hommes. Et les États les plus pourvus laissent mourir des millions d'enfants.

Un pas encore et c'est le mirage : cette issue que l'on croit trouver dans la guerre, où nous nous sommes tant de fois précipités qu'il n'est pas un pays qui n'en garde sur son sol la trace, les ruines et les cimetières à perte de vue comme des forêts de croix blanches.

Je sais cela aussi parce que je l'ai vécu.

Mais je n'oublie pas que, quand nous nous enfoncions sous la terre durant l'insurrection du ghetto de Varsovie, quand nous rampions dans les égouts, nous voulions parvenir à l'air libre, au-delà du mur qui nous enfermait dans cette ville où nous allions pouvoir survivre et nous battre encore.

Et nous avons atteint, enfin, l'extrémité de notre souffrance et la paix est revenue.

Votre haut monde, Hommes de demain, est la fin de notre préhistoire.

Je vois sur toute la surface de la planète non pas des gens heureux — le bonheur est affaire personnelle — mais des hommes et des femmes qui ont les moyens de l'être. Ils travaillent mais ils ont la certitude de la paix.

On ne leur donne pas un sac de grains mais ils disposent de la charrue ou du tracteur qui permet la moisson. Comme disait un homme de notre siècle : N'offrons pas au plus pauvres habitants de notre terre du poisson, mais donnons-leur un filet ou un chalut, enseignons-leur les techniques de la pêche afin qu'ils soient capables de subvenir à leurs besoins.

Du travail, des techniques, le savoir pour tous.

Imaginons : chaque homme, chaque femme sur cette Terre disposant des moyens dont il a besoin pour produire.

Qu'on ne me dise pas que je rêve.

N'est-ce pas un cauchemar que de savoir que dans les contrées les plus reculées du monde des armes sont enfouies et que les bergers les plus pauvres, les nomades analphabètes, sont capables de démonter une mitraillette fabriquée en Europe ou aux États-Unis.

Et si au lieu de distribuer des armes nous offrions des tracteurs, des charrues et, pourquoi pas, bientôt des ordinateurs !

Où est l'impossibilité, où est le rêve ?

N'est-il pas plus fructueux de livrer des machines qui permettent de produire, plutôt que des armes ?

Et si chaque homme — ils sont six milliards déjà et combien demain ? — disposait dans votre haut monde de la possibilité du travail et de la certitude de la paix, croit-on qu'existeraient les mêmes tensions qu'aujourd'hui ?

Je rêve d'un haut monde pacifique où les conditions seraient créées pour que l'homme ne soit confronté qu'aux questions essentielles que pose la vie.

Croit-on qu'il serait gris, sans passion, un haut monde où chaque homme s'interrogerait sur le sens de son destin, le pourquoi de l'univers et la cause de ce vieillissement qui nous atteint, et aussi le vrai visage de la mort ?

Croit-on qu'il n'y aurait pas là de quoi donner à l'homme le goût et le génie de la création ?

Je ne rêve pas d'un monde de l'uniformité. Je ne veux pas que chaque homme ressemble à un autre homme.

Je rêve d'un monde où l'égalité des chances existe, où l'homme soit débarrassé des angoisses de la vie quotidienne pour qu'enfin il puisse se demander qui l'a jeté sur cette Terre et quel est le sens de son passage.

Je rêve d'un monde où chaque homme posséderait et utiliserait une énergie créatrice équivalente à celle de Pablo le Géant.

Hommes de demain
Que chaque vivant sur votre Terre
notre Terre
soit votre frère

Hommes de demain
Qu'il n'existe pas de douleur
Que vous ne vouliez
Partager
Que jamais le bonheur ne soit pour vous
fermeture

J'écris aux hommes de demain

Hommes de demain
Que le don généreux soit entre vous
la règle

Qu'un passant croisé
soit votre ami
Que la paix enveloppe le monde

Hommes de demain c'est pour vous que j'écris
afin qu'un peu plus de justice germe
ici
Et que demain, les enfants
soient les princes
de l'avenir
En eux est la pousse de la vie

Charte de fraternité pour la famille humaine

1.

Tu respecteras la Vie,
car là est le mystère,
là est l'avenir.

2.

Tu sauras que ta vie, ta famille,
ta ville, ton pays, ton continent
ne sont pas des îles
mais des éléments d'un tout,
qui s'appelle la famille humaine.

3.

Tu comprendras
que de ton comportement individuel
dépendent, à chaque instant,
l'esprit et le sort du monde.

4.

Tu affirmeras
qu'un homme vaut un homme,
partout, toujours.

5.

Tu n'ignoreras pas que, à ta porte,
des millions d'hommes sont menacés
par la faim et la violence.

6.

Tu vivras avec l'idée que
l'espèce humaine, si rien ne change,
court à la destruction.
Et tu te sentiras responsable
de son destin.

7.

Tu délégueras seulement à ceux qui
te parleront le langage de la vérité,
de la paix et de la fraternité.

8.

Tu ne chercheras pas
des boucs émissaires.
Tu essaieras toujours d'expliquer
et de comprendre et de convaincre.

9.

Tu condamneras
la violence et le racisme.

10.

Tu souhaiteras qu'un Conseil de Sages,
au-dessus des intérêts, des passions,
des égoïsmes, aide les représentants
de la famille humaine
à choisir pour le monde entier
la voie de la paix.

Que faire ?

Vous venez de lire ce livre. Lire est déjà un acte. Méditer ce que l'on a lu est aussi un acte. Dialoguer, partager avec d'autres les idées qui vous semblent justes est encore un acte.

Est-ce suffisant pour transformer ce monde dur et dont l'avenir nous inquiète parce que nous pensons aux « Hommes de demain », à nos enfants, à nos frères et sœurs ?

Non.

Que faire alors ?

Certains choisissent la politique. D'autres se dévouent. J'ai parlé dans ce livre de Mère Teresa. Et je pense aux médecins pour qui il n'existe pas de frontières.

Mais vous, à qui souvent la vie ne permet pas ces actes extrêmes ou qui pensez que l'engagement en politique est une impasse ?

Vous, que devez-vous faire ?

A vous de choisir.

Parler et dialoguer, je l'ai dit, est une action.

Prier est une main tendue.

Aimer est le chemin vers les autres.

Peut-on aller plus loin ?

Ecouter le monde est nécessaire.

Et témoigner de la solidarité, de la fraternité avec ceux qui souffrent est un acte de générosité.

Pourquoi ne pas décider — chacun décidera — que dans chaque ville, dans chaque village, un jour donné, des hommes et des femmes ensemble choisiront de jeûner, toute une journée, pour se recueillir, témoigner, communier avec les plus démunis ?

Cet acte est sans violence, cet acte est témoignage, cet acte est appel à plus de conscience.

Si vous êtes d'accord, écrivez-moi.

Telle est mon idée. Mais vous êtes riche d'invention. Proposez-moi vos suggestions. Nous avons besoin de communiquer entre nous. Car il nous faut organiser ensemble la communion de la famille humaine qui, acte de silence et de prière, aura la puissance d'un cri.

Les droits d'auteur de Martin Gray
ainsi que ceux du film
assurent le fonctionnement de la Fondation
qu'il a créée en hommage aux siens.

Si vous désirez connaître ses activités
et vous y associer ou dialoguer
avec Martin Gray, vous pouvez écrire à

MARTIN GRAY
83141, Tanneron, France.

Achevé d'imprimer en octobre 1983
sur presse CAMERON,
dans les ateliers de la S.E.P.C.
à Saint-Amand-Montrond (Cher)
pour le compte des éditions Robert Laffont
6, place Saint-Sulpice-75279 Paris Cedex 06

Dépôt légal : octobre 1983.
N° d'Édition : K.495. N° d'Impression : 1703.